Kazimiera Kaupaitė —
Motina Marija

Motina Marija, švenčianti 25 metų sukaktį vienuolinių įžadų

KAZIMIERA KAUPAITĖ

— MOTINA MARIJA

Švento Kazimiero Seserų Kongregacijos
Steigėja

Paruošė

Vysk. Vincentas Brizgys

1982

198425

Išleido
Švento Kazimiero Seserų Kongregacijos
Rėmėjų Draugija

Spausdino „Draugo" spaustuvė
4545 W. 63rd St.
Chicago, IL 60629

TURINYS

LEIDĖJŲ ŽODIS

Eidamos savo gyvenimo keliu, mes džiaugiamės sutikusios raiškių asmenybių ir dėl to esame laimingos ar bent daug laimingesnės. Viena iš tokių sutiktų pirmo ryškumo žvaigždžių yra velionė Kazimiera Kaupaitė-Motina Marija (1880.I.6—1940.IV.17), vienuolė, Šv. Kazimiero Seserų Kongregacijos įsteigėja Amerikoje ir jos generalinė vyresnioji. Šiose pareigose Motina Marija išbuvo iki mirties, negęstančia šviesa spindėdama krikščioniškoje išeivių ir Lietuvos dangaus rūškanoje mėlynėje. Motina Marija, įstojusi 1905 metais į vienuolyną, nuo 1907.VIII.30 iki mirties buvo Šv. Kazimiero Seserų Kongregacijos vienuole, nuo 1913 metų — jos vadove. Gavus popiežiaus Benedikto XV leidimą steigti Lietuvos Šv. Kazimiero Seserų Kongregaciją, Motina Marija, būdama puiki organizatorė ir administratorė, grįžusi 1920 m. į Lietuvą, įsteigė Lietuvos Kazimieriečių Vienuoliją Pažaislyje, atidarė 29 pradžios mokyklas, 3 aukštesniąsias mokyklas, 2 ligonines. Už nuopelnus lietuvybei Lietuvos vyriausybė 1933 m. Motiną Mariją apdovanojo Gedimino ordinu.

Dėka Kazimieriečių veiklos, vadovaujant Motinai Marijai, ir Amerikoje atsirado lietuviškų mokyklų. Prieš I pasaulinį karą kazimierietės darbavosi jau 7 mokyklose, o 1932 m. jau turėjo 2 mergaičių akademijas ir vadovavo 25 parapijinėms mokykloms, kuriose mokėsi apie 7,000 vaikų. Aukštesniųjų mokyklų skaičius 1955 m. pasiekė 6, o pradžios mokyklų, kurioms vadovavo ir mokytojavo 224 kazimierietės, pakilo iki 37. Mokinių skaičius pasiekė 9,400.

Iš mokyklų tarpo ypač pažymėtina Šv. Kazimiero Akademija Chicagoje, kuri šviesaus Motinos Marijos atminimui, pastačius 1952 metais naujus rūmus, buvo pavadinta Marijos Aukštesnioji Mokykla.

Mes, Šv. Kazimiero Seserų Rėmėjų Draugijos nariai ir Motinos Marijos Kazimieriečių Akademijos auklėtinės, su tyru džiaugsmu ir gilia pagarba prisimename Motiną Mariją, jos širdies šilumą ir neišsenkantį švelnumą audringai jaunystei, jos reiklų ir atlaidų vienuolišką žvilgsnį ir gėrio šventą dosnumą. Mes, kurios buvome laimingos lankyti Šv. Kazimiero Akademiją, prisimename, kaip Motina Marija mus mokė pažinti save ir pasaulį ir sąmoningai peržengti atmintinai kalbamų maldų slenkstį, įsijausti į Bažnyčią ir visą tikėjimo esmę namuose ir pasaulyje, į visą Bažnyčios mokymą ir supratimą, nenustumiant visuomenei svarbių reikalų nuo dvasinio žaizdro liepsnos.

Jau 1931 metais, kai karas buvo dar ,,tolima" grėsmė, Motina Marija giliai jautė karo šmėklą ir kvietė maldauti Ramybės Karaliaus, kad jis apimtų ne tik mūsų, bet ir viso pasaulio širdis. Motina Marija puoselėjo lietuvių kalbą ir nuolatos primindavo seserims kalbėti su mokiniais ir tarp savęs tik lietuviškai ir reikalauti, kad vaikai tarp savęs kalbėtų lietuviškai. Motina Marija jau palūžusi, jausdama lemtingą

dėl vėžio ligos mirtį, 1938 metais, Lenkijos ulti-
matumo Lietuvai metu, primena seserims ir auklė-
tiniams, kad reikalinga Bažnyčios užtarytojų kariuo-
menės pagalbos malda mūsų tėvynei Lietuvai.
Silpstant jėgom 1938 metų rudenį Motina Marija,
giliai jausdama, kad esame dalis ir Bažnyčios, ir tau-
tos, ir pasaulio, su nerimu pažymėjo Bažnyčios ir
tautų santykių įtampą. Prieš mirtį ji kvietė atsiminti,
kad prisiimant ką nors nemalonaus, apkabindami su
meile kryžių, kartu apkabiname ir Kristų. Su nerimu ji
klausė, kas atsitiks, jeigu kryžius bus atstumtas?
Tokią mes prisimename mūsų šviesaus atminimo
Motiną, pedagogę, visuomenininkę ir pavyzdingą
lietuvę, pašventusią visą savo gyvenimą gėrio ir meilės
Kristuje ugdymui, šių vertybių mūsų tautos ir pa-
saulio žmonių širdyse įvertinimui.

ŠV. KAZIMIERO SESERŲ RĖMĖJŲ DRAUGIJOS PIRMININKĖ
Maria Rudienė

1982 metų gegužės mėn.

11

ĮŽANGA

Po antrojo pasaulinio karo gyvename įdomų politinį laiką. Pasaulio žemėlapyje apibrėžiama teritorija, pavadinama kokiu nors vardu, tos teritorijos gyventojams duodama laisvė nepriklausomai tvarkytis ir jie pavadinami kokia nors tauta. Tačiau visa tai tautos dar nesudaro. Tautos išsivystymui ir sąmoningam subrendimui reikalingas laikas, kultūra, teisinga pasaulėžiūra tvarkant žmonių santykius. O jau susiformavusioje tautoje jos solidarumui reikia dar ir kitų elementų.

Yra tautų, kurios susiformavo ir subrendo neturėdamos politinės nepriklausomybės, ir yra tokių, kurios pirma gavo politinę laisvę, ir tik tada prasidėjo jų tautinis brendimas.

Jau susiformavusiose tautose ne lengvai pasiekiamas tautinis solidarumas. Vienur susikuria vadinamos visuomenės klasės, kurios tautą skaldo. Kitur, kad ir be ypatingų titulų, išsiskiria valdantieji ir beteisiai pavaldiniai, vadinti vergais, baudžiauninkais, ar ir be tų vardų. Vėl kitur turtuoliai gyvena iš kitų darbo, o dirbantieji lieka beturčiais. Šie ir panašūs skirtumai, vienur jau praeityje, kai kur dar ir dabar, yra didelės kliūtys tautos solidarumui.

Kai laikas ir žmonių geros pastangos išlygina anuos minėtus skirtumus nors iki pakenčiamo laipsnio, tai ir tokioje visuomenėje, kokia dabar vadinama demokratiška, gali atsirasti naujų dalykų, kurie gali kenkti tautos solidarumo brendimui. Atsiranda politinės partijos, įvairūs ideologiniai ir kitoki sambūriai. Jeigu žmonės nėra pakankamai subrendę dvasiniai ir kultūriniai, jų tautos sąmonė faktiškai lieka antraeiliu dalyku. Vienas apie kitą neklausia, ar abu yra tos pat tautos, o pirma klausia, ar yra tos pat „klikos". Reikia laiko ir dvasinio bei kultūrinio subrendimo laipsnio, kada tie skirtumai bus pastatyti jiems deramoje vietoje.

Tautos gyvenime yra būtini, bet taip pat ne lengvai ir ne ūmai pasiekiami pasitikėjimas savimi ir savigarba. Ne kiekvienas tai jaučia ir supranta, kad savyje jis gal turi menkavertiškumo kompleksą — tarptautiniai priimtu lotynišku pavadinimu — complex minoritatis. Toks asmuo paprastai yra linkęs manyti, kad kitos tautos panašus asmuo yra pranašesnis už jo tautos asmenį. Tokių asmenų ryškus pavyzdys buvo Kristaus laikų jo gimtinio Nazareto gyventojai. Jų protu, kaip Jėzus galėtų būti Mesijas, kad jis jų tarpe augo, gyveno ir stebuklų nedarė. Nesprendžiant, ar sekantis pasakojimas panašus į tiesą ar ne, prisimena vienas vyskupo P. P. Būčio pasakojimas savo įspūdžių iš laiko, kai jis kunigas darbavosi Amerikoje. Anot jo, jeigu olandas pasireiškia kuo nors teigiamai, tai visi olandai puls jį iškelti kuo aukščiausiai, nes jis paskui padės ir kitiems olandams. Jeigu kuo nors pasireiškia lietuvis, tai kiti, jeigu jam ir nekenks, tai ir nepadės, kadangi jis vienas iš jų, tai kaip jis gali būti pranašesnis už juos. Ačiū Dievui, toks lietuvio apibūdinimas bent ne visur tinka. O jeigu tokios savijautos kur kiek buvo, tai yra pateisinančių priežasčių. Kone nuo pradžios suvienytos Lietuvos laikų ją neigiamai veikė kaimynų slavų įtaka. Tų įtakų veikiama Lietuvos diduomenės didelė dalis tiek nutauto, kad pasisavino svetimą kalbą, nemažai jų liovėsi save vadinę lietuviais. Ypatingai po Lietuvos pavergimo aštuonioliktame šimtmetyje ir rusai, ir lenkai įtikinėjo Lietuvos liaudį, kad jai jau nėra ko tikėtis iš lietuviškumo, kad lietuvių net kalba netinka nei literatūrai, nei įstatymams — niekam, išskyrus kasdieninę liaudies žmonių tarpusavę komunikaciją. Asmeniui, save laikančiam lietuviu, buvo uždaryti keliai ne tik kuo nors pasireikšti, o net ir mokytis. Jeigu lietuviai būtų bandę kurį nors gyvą ar mirusį savo tautietį kaip nors pagerbti, tokiam gyvam ar mirusio palaikam gresė sunaikinimas. Būdingas yra kunigo jėzuito Danieliaus Lenčickio-Lancicijaus palaikų likimas. Jis ir po mirties garsėjo Vakarų Europoje ir savo raštais, ir švento gyvenimo paliktu atminimu. Jo kūnas buvo palaidotas Kaune Tėvų Jėzuitų bažnyčios rūsyje. Atsiųsti rusų kazokai išplėšė kapą, kūną sudegino ir pelenus supylė į Nemuną.

Reikia tik stebėtis, kad Lietuvos liaudis išliko tokia, kokia ji pasirodė 1918 metais ir iki dabar. Sunku atspėti, ar bus kada atgaivintas vyskupo Melkioro Giedraičio gyvenimo šventumo tyrimas, ar bus atsiminti iš tolesnės praeities kiti to verti. Tos srities lietuvių prisiminimai persekiojami ir dabar. Lietuvoje išgarsėjusi Barbora Žagarietė-Umiastauskaitė, kurią žmonių tradicija laikė šventa. Iki šiol buvo išsilaikęs nesugedęs jos kūnas, dabartinių pavergėjų išvežtas „moksliniam ištyrimui", be abejo, yra kur nors barbariškai išniekintas ir sunaikintas, kaip buvo padaryta su minėto kunigo jėzuito Danieliaus Lenčickio kūnu. Šiandien Lietuvoje bijoma daryti kokių nors žygių surinkti žinias, liečiančias arkivyskupus Jurgį Matulaitį, Teofilių Matulionį ir kitus, kad jų mirusius kūnus neištiktų panašus likimas.

Šiuo atžvilgiu laiminga yra Kazimiera Kaupaitė-Motina Marija, Švento Kazimiero Seserų Kongregacijos steigėja. Ją pažinojusieji ar prisimeną nekartoja ano „nazarietiško", kad ji buvo viena iš mūsų, tai kuo ja domėtis, ir nėra baimės, kad Dievo ir lietuvių priešai galėtų sunaikinti jos mirusius palaikus. Nesivaržydami galime susipažinti su jos gyvenimu, juo domėtis ir kitus į tai paraginti. Praėjus 42 metams nuo jos mirties, jos prisiminimas ir ja susidomėjimas ne tik nesunyko, o daromi konkretūs žingsniai pradėti formalų jos gyvenimo įvertinimo procesą. Kiekvienam lietuviui bus ir įdomu, ir pravartu geriau pažinti Kazimieros Kaupaitės — Motinos Marijos asmenį.

LIETUVOS BŪKLĖ KAZIMIEROS KAUPAITĖS VAIKYSTĖS IR JAUNYSTĖS LAIKAIS (1880.I.6...)

Ne dažnai, bet visais laikais visose tautose pasitaiko asmenų, kad apie juos skaitydamas ar mąstydamas klausi, kaip tose sąlygose galėjo išaugti tas ar kitas asmuo. Iš jų ne daug yra tokių, kuriuos mes asmeniniai pažinojome, bet žmonėse paliktas jų atminimas, jų gyvenimo ir veiklos pasėkos su jais nemirė. Ne apie vieną iš tokių gandas stiprėja laikui bėgant po jų mirties. Taip yra su lietuvaite Kazimiera Kaupaite — Motina Marija, Šv. Kazimiero Seserų Kongregacijos steigėja. Jos jaunystėje niekas apie ją nekalbėjo, niekas jos ir nepažinojo, išskyrus jos gimtąją šeimą, artimus kaimynus, gimines. Ir vėliau apie jos kaip vienuolės gyvenimą ir veiklą retai kada plačiau užsiminta ano meto lietuvių spaudoje. O praėjus 40 metų po jos mirties jos vardas taip atgijo, kad atkreipė į save dėmesį ne eilinių, o platesnio akiračio net nelietuvių. Tai sakydamas turiu mintyje ypatingai tuos kompetentingus nelietuvius asmenis, kurie seseris Kazimierietes skatina ir joms padeda ruošti Kazimieros Kaupaitės — Motinos Marijos gyvenimo bylą tikslu paskelbti ją palaimintąja.

Kad geriau suprastume, ko buvo galima laukti iš Lietuvos kaimo tokios mergaitės, kokia buvo Kazimiera Kaupaitė, nors keliais žodžiais prisiminkime ano meto Lietuvos ir Kaupų šeimos gyvenimo sąlygas. Apie to laiko Lietuvą poetas Maironis sako, kad Lietuvoje žiema. Nė žodžio, nė rašto neleidžia erelis suspaudęs sparnais. Kazimiera Kaupaitė gimė 1880 metais, sausio mėnesio 6-tą dieną. Lietuva buvo okupuota carų valdomos Rusijos, kuri pati buvo kultūriniai tamsi, o Lietuvą stengėsi padaryti dar tamsesnę už pačią Rusiją. Tada Lietuvoje net pradžios mokyklos buvo labai retos, jose dėstomoji kalba buvo rusų kalba, buvo uždrausta lietuviškoji spauda ir raštas lotynų raidėmis. Rusijos valdžia visokiais būdais stengėsi, kad visi lietuviai, o ypatingai jaunimas užsimirštų savo lietuvišką tapatybę ir surusėtų. Buvo uždraustos visokios organizacijos, labai žiauriai išnaikinti laisvoje Lietuvoje buvę gausūs vienuolynai. Esančias mokyklas buvo sunku pasiekti, lietuviai nemėgo ir tų pačių, nes ten matė pavojų savo vaikų ir tautiškumui, ir religijai. Kaimuose šeimose lankydavosi pakviesti „daraktoriai" — vyrai, rečiau moterys, kurie savaitę — kitą pamokydavo šeimos vaikus skaityti, labai retai kurį ir rašyti. Todėl kaimiečių tarpe retas mokėdavo skaityti ir rašyti. Tada Lietuvoje dar buvo nesibaigę baudžiavos laikai, kurie ne daug kuo skyrėsi nuo to, ką žinome iš istorijos apie vergiją.

Ar buvo galima svajoti, kad iš tokiose sąlygose gyvenusių kaimiečių gausios vienuolikos vaikų šeimos bemokslė mergaitė drįstų svajoti to, ko tada Lietuvoje nebuvo, kas buvo net žiauriai draudžiama — tapti vienuole, o galutinai net įsteigti Lietuvoje tada draudžiamą dalyką, naują lietuvaičių vienuolių kongregaciją? Tokia mergaitė atsirado. Ne dvarininkų ar bajorų, ne kurio nors, tada labai nedaugelio, lietuvių inteligentų šeimoje, o buvusių baudžiauninkų kaimiečių, Gudelių kaime, Ramygalos parapijoje, Anupro ir Antaninos Glebauskaitės Kaupų, vienuolikos vaikų šeimoje, gimusi iš eilės penktoji, 1880 metų sausio 6 dieną, pakrikštyta sausio 7 dieną Kazimieros vardu.

KAZIMIEROS KAUPAITĖS
AUTOBIOGRAFIJA

Nuo gimimo iki pirmos kelionės į Ameriką. Kad ir ne žodiniai, tai nors sutrumpintai, apie Kaupų šeimą sužinome iš pačios Kazimieros paliktų gausių laiškų ir iš jos asmeninių užrašų, kurių yra likę dvidešimt keturios (24) knygelės.

Kazimieros tėvuko-dieduko tėvas Kazimieras Kaupas buvo dvarininko Jokūbo Šiukštos nuosavybė — pirktas vergas, Lietuvoj vadintas baudžiauninku. Jis buvo apgyvendintas ant minėtam dvarininkui priklausančios žemės, Gudelių kaime, Ramygalos parapijoje. Vedęs taip pat baudžiauninko dukterį, jis turėjo du sūnus — Petrą ir Antaną ir dvi dukteris — Katariną ir Oną. Vyresnysis sūnus Petras vedė Barborą Murzaitę iš Sukelių kaimo, tos pat Ramygalos parapijos. Gyveno tame pat Gudelių kaime kaip to paties Jokūbo Šiukštos baudžiauninkas ant jam pavesto žemės sklypo. Antanui, kuris taip pat vedė, bet vaikų neturėjo, buvo pavestas tame pat kaime kitas žemės sklypas 54 akrų su troba. Petras ir Barbora Murzaitė Kaupai turėjo du sūnus — Anuprą ir

19

Anupras Kaupas (Kazimieros tėvas)

Pranciškų ir tris dukteris — Juditą, Petronėlę ir
Agnietę. Petro seserys — Katarina ištekėjo tame pat
Gudelių kaime už Valonio, o Ona už Kuodžio Juškai-
čių kaime. Visi jie buvo baudžiauninkai, dirbdami
jiems pavestą žemę, pirmoje eilėje turėdavo išpildyti
dvarininko uždėtas pareigas, o jų pačių gyvenimui
būdavo tiek, kiek atlikdavo nuo tų pareigų.

Petro Kaupo kaimynas tūlas Šlekiukas kažkuo
prisigerino dvarininkui Jokūbui Šiukštai ir kažkuo
įskundė Petrą Kaupą, kad Kaupo tvarkytą žemę ir
trobesį atidavė Šlekiukui. Šis tą pat dieną, kaip tik
gavo žinią, kad Kaupo tvarkyta žemė perduodama

jam, Kaupų šeimą išvarė taip žiauriai, staigiai, kaip žmonės sako, plikomis rankomis, kad neleido pasiimti nė riekelės duonos, kurią Kaupai tą dieną buvo iškepę: ir ta turėjo likti Šlekiukui. Taip išvarytos ir visiškai be nieko paliktos Kaupų šeimos jaunesnį sūnų Pranciškų pasiėmė pas save teta Katarina Valonienė. Gi visi kiti tos šeimos nariai prisiglaudė pas bevaikį Petro brolį Antaną. Po kiek laiko Antanas visą savo turėtą turtelį pavedė brolėnui Anuprui.

Anupras, kad ir per dideles pastangas ir vargą, nepasiliko baudžiauninku. Pradžioje jis nuomavo svetimą ūkį, o vėliau įsigijo savo nuosavybę tame pat Gudelių kaime. Jis vedė Antaniną Glebauskaitę iš Ąžuolytės 1865 metais. Juodu augino gausią vienuolikos vaikų šeimą: Juozapiną, Vincentą, Antaną, Anuprą, Kaziūnę (taip ją vadindavo šeimoje), Oną, Antaniną, Bronislovą, Salomę, Julių ir Katariną. Anupras mirė mažas, Ona mirė vaikystėje. Kiti devyni užaugo ir brendo savo tėvų šeimoje. Penkta iš eilės, tai Kazimiera, apie kurią čia bus kalbama.

Tėvų būta ne tik ryžtingų susikurti nepriklausomą gyvenimą, bet ir kitais atžvilgiais įdomių žmonių. Tai matosi ir iš to, ką Kazimiera trumpais žodžiais užsimena apie savo gimtąją šeimą. Savaime aišku, kad šeima buvusi neturtinga, o tačiau nesiribojo tik savimi ir kasdienine duona. Kaupų namuose buvę labai rūpinamasi švara, tvarka. Buvo mėgiamos ir praktikuojamos visos šeimos bendros maldingumo praktikos ne tik ypatingų švenčių progomis, ar gegužės, birželio, spalio mėnesiais, o net paprastomis dienomis, ypatingai sekmadieniais. Tokiom bendrom maldom vadovaudavo tėvas. Kaupų šeimoje nevartodavę svaigiųjų gėrimų. Pramokusieji skaityti mokė namie jaunesnius savo brolius ir seseris. Ir pačią Kazimierą skaityti išmokė namie jos vyresnė sesuo

Juozapina. Šeimos tėvas Anupras Kaupas dar jaunystėje pradėjo bendrauti su tada draudžiamos lietuviškos spaudos platintojais, turėjo gal visas knygas, kokios tada pasiekdavo Lietuvą. Sodo pakraštyje tarpe aukštų žolių stovėjo pasenę keli tušti bičių aviliai. Čia buvo sukrautos lietuviškos knygos. Kiek kartų Kaupų namuose rusų žandarai darė kratas, jiems ir į galvą neateidavo patikrinti tuos sodo pakraštyje apleistus avilius. Kaupų šeimoje gana dažnai būdavę svečių, ne kartą tokių, kuriuos tik vienas tėvas žinojo, kas jie yra — tai tie lietuviškų knygų ir kitokių lietuviškų reikalų tarpininkai. Šventadieniais į Kaupų namus rinkdavosi kaimynai, ne tik senimas, o ir jaunimas, pasiklausyti įvairių naujienų. Juozapina, o jai ištekėjus, Kazimiera susirinkusioms kaimynų merginoms paskaitydavo ką nors iš gautų knygų ar laikraščių. Ir Ramygalos parapijos klebonui Anupras Kaupas buvo didelė parama įvairiuose reikaluose.

KUNIGAS ANTANAS KAUPAS

Mirus pirmam sūneliui dar kūdikiui Vincentui, antąjį berniuką, gimusį 1870 metais, pakrikštijo geradario dėdės Antano vardu, kuris priėmė savo brolio Petro, Anupro tėvo, šeimą, išvarytą tuščiomis rankomis iš jų gyventos vietos. Apie šį Anupro sūnų Antaną dera nors trumpai šį tą pasakyti, nes jis turėjo reikšmės savo sesers Kazimieros gyvenime. Ir Antanukas, kaip šeimoje buvo vadinamas, skaityti išmoko savo šeimoje, ne mokykloje. Jau pramokęs skaityti, lankė Ramygaloje esančią pradžios mokyklą. Mokykloje pasireiškė kaip gabus berniukas, tačiau Kaupų šeimos ekonominės salygos buvo tokios, kad nebuvo ko nė svajoti apie tolimesnį vaiko mokymąsi. Ramygalos klebono J. Nargėlos įkalbėtas, Anupras Kaupas pasiskolino Ramygaloje iš Švainciko bankelio pinigų ir išvežė sūnų Antaną į Šiaulių gimnaziją. Kas skaitėte Augustaitytės-Vaičiūnienės Marijampolės gimnazijos aprašymą 1867-1918 metų, tai tinka ir kitom tada Lietuvoje buvusiom keliom gimnazijom. Rusų valdžia visokiais būdais kliudė Lietuvos liau-

Kunigas Antanas Kaupas

dies švietimąsi, kliudė lietuviams jaunuoliams baigti net gimnaziją. Po šešių metų Antanas Kaupas buvo pašalintas iš Šiaulių gimnazijos neva už Darvinistines pažiūras. To paties Ramygalos klebono J. Nargėlos rekomenduotas, buvo priimtas į Žemaičių Kunigų seminariją. Tačiau po dviejų metų, 1890 m., buvo iš Kunigų seminarijos pašalintas kartu su keliais kitais lietuviais klierikais už lietuviškos spaudos ir lietuvybės platinimą. Dėl jo tėvai buvo jau daug įsiskolinę. Kazimiera, nors tada dar tik dešimties metų mergaitė, bet gerai atsimena visos šeimos skaudų išgyvenimą ir prieš porą metų, ir dabar. Šį smūgį šeima priėmė tyliai, ramiai. Parvykęs į tėviškę, Antanas dirbo ūkyje kartu su visais kitais, stengėsi atstoti mokytoją savo sesutėms ir broliams. Tačiau nematydamas galimybių toliau mokytis Lietuvoje, po poros metų, 1892 metais išvyko į Ameriką. Atvykęs į Chicagą, dirbo stockjarduose ir susitaupęs šiek tiek pinigų įstojo Detroite į Lenkų Kunigų seminariją. Buvo priimtas į Scrantono dieceziją. Detroito vyskupas O'Hara suteikė jam kunigystės šventimus 1896 metų gegužės 6 dieną. Vos pašvęstas buvo paskirtas klebonu Scrantono diecezijoje Willkes-Barre lietuvių parapijoj. Po metų laiko perkeltas į Scranton, Šv. Juozapo lietuvių parapijos klebonu, kur klebonavo iki 1907 metų. Dėl susilpnėjusios sveikatos atsisakė iš parapijos ir buvo perkeltas į Pittston. 1912 m. atsisakė ir iš Pittston, apsigyveno Chicagoje ir kurį laiką čia redagavo „Draugą". Antanas Kaupas jau nuo gimnazijos laikų rašinėjo įvairiais slapyvardžiais į Prūsuose ir Amerikoje leidžiamą lietuvišką spaudą. Besidarbuojant Chicagoje, išsivystė gerklės vėžys, ir 1913 metų spalio mėnesio 27 dieną kunigas Antanas Kaupas mirė, palaidotas Chicagoje Šv. Kazimiero kapinėse. Amerikos lietuvių istorijoje jo vardas lieka neužmirštamas.

Kunigo Antano pašventimas į kunigus buvo ne tik maloni žinia, o ir atvanga jo gimtajai šeimai. Nors apie tai niekas neužsimena, bet galima prileisti, kad jis padėjo savo gimtajai šeimai bent palengvinti nemažą skolos naštą, kurią užsidėjo tėvas, leisdamas jį Šiauliuose į gimnaziją, paskui į kunigų seminariją. Tačiau tada niekas nenujautė, ką tai reikš jo sesutei Kazimierai. Vyresniajai sesutei Juozapinai ištekėjus, Kazimiera dar tik dešimties metų buvo paimta, kaip ji sako, iš „piemenukės pareigų" aukštesnėm pareigom — ji tapo pirmoji ir svarbiausioji pagelbininkė savo motinai ir namų apyvokoje, ir jaunesnių sesučių bei jauniausio broliuko Juliuko globėja. Kazimiera buvusi žemo ūgio, tik eidama keturioliktus metus ji gana staigiai paaugo į „merginą". Kaip ji pati sako, jos netraukė pasaulietiški jaunimo pobūviai — pasilinksminimai šeštadienių ar sekmadienių vakarais. Ji daugiau mėgusi pasiklausyti savo tėvo visokių pasakojimų, mėgo pati skaityti. Gal tėvų pavyzdžio pasėkoje Kazimiera buvusi pamaldi, dažnai priimdavusi sakramentus, bet, kaip ji sako, „davatkų nemėgusi".

KAZIMIEROS RUOŠIMAS VYKTI
Į AMERIKĄ

Vos pašvęstas į kunigus, brolis Antanas jau tais pačiais 1896 metais parašė savo tėvams laišką, prašydamas atsiųsti Kazimierą į Ameriką būti jo klebonijoje šeimininke. Kazimiera išsigandusi tokios naujienos. Apie šeimininkavimą klebonijoje net Lietuvoje ji neturėjusi jokio supratimo, o tokiom pareigom vykti į Ameriką, nors ir pas brolį, buvo sunku net suprasti, o širdžiai tai buvo visai nepriimtina. Tačiau tėvams taip nutarus, ji turėjo su tuo sutikti. Kad Kazimiera tokiom pareigom nors kiek pasiruoštų, tėvas paprašė Ramygalos kleboną J. Nargėlą priimti ją kuriam laikui klebonijon tarnaite, žinoma, be jokio atlyginimo. Klebonas sutiko, ir Kazimiera išėjo Ramygalos klebonijon „mokytis šeimininkauti klebonijoje". Nors klebonijoje ji buvo prielankiai priimta, tačiau čia ji pateko aplinkon, kuri jai buvo ne tik visiškai nauja, bet ir nepatraukli. Kažkokia proga Kazimiera tačiau nugirdo, kaip jos teta — motinos sesuo, kalbėjo motinai, kad šis bandymas ruošti Kazimierą Amerikon yra beprasmis. Kazimiera ten vistiek ilgai nebus, grįš namo. Kazimiera savo širdyje tuo užsigavusi ir viena sau pasiryžo parodyti savo tetai, kad ta klysta apie ją taip manydama. Ji vyks į Ameriką ir iš ten greit negrįš. Klebonijoje teko Kazimierai išmokti daug iki tol nežinotų dalykų. Vienas iš sunkiausių buvo išmokti rašyti, ko čia ji mokėsi pas vieną to bažnytkaimio moterį siuvėją. Dabar ji prisiminė, kaip neišmintingai pasielgė, būdama dar maža, kai brolis Antanas, pašalintas iš Šiaulių gimnazijos ir gyvendamas tėviškėje, bandė ją išmokyti rašyti ir kaip ji nesutiko ir tuo nepasinaudojo.

Nepaisant, ką teko išgyventi širdyje, Kazimiera nepasidavė minčiai mesti kleboniją ir siuvėjos „rašymo mokyklą", grįžti į tėviškę. Vieną dieną tačiau klebonijos šeimininkė Katarina sako Kazimierai, kad jos dvi abi važiuos į Gudelius — į Kazimieros tėviškę. Kazimiera ir apsidžiaugė, ir susirūpino, kokiu tikslu tas pasivažinėjimas — ar tik atsilankyti, ar čia slypi kas nors Kazimierai nežinomo. Parvykus tėviškėn ir Kazimiera, ir tėvai vaišino viešnią kaip įmanydami. Tačiau išgirdo iš Katarinos, kas Kazimierai niekad į galvą nebuvo atėję. Išgyrusi Kazimierą tėvams, pasiūlė vežti ją į Panevėžį pas panelę Kaminskaitę į privačią jos mokyklą. Ten jinai išmoksianti daugiau, negu galima išmokti klebonijoje. Tėvai tam pritarė, ir vieną dieną Katarina pati kartu su Kazimiera nuvažiavo į Panevėžį. Pas panelę Kaminskaitę Kazimiera rado pustuzinį mergaičių, kurių vienos mokėsi gimnazijoje mokomų dalykų, kitos rankdarbių. Kazimiera čia toliau mokėsi bendros namų ruošos. Po klebonijoje praleisto laiko Kazimierai nebuvo tai labai sunku ar visai nauji dalykai. Sunkiau buvo tęsti mokymąsi rašyti ir dar vieno jai visai svetimo ir širdžiai nepatrauklaus dalyko — lenkiškos gramatikos ir kalbos. Bendrai, čia rasta nauja atmosfera Kazimierai buvo taip svetima, kad nors jau 15 metų mergina, dažnokai nepajėgdavusi susivaldyti neverkusi net matant kitoms mergaitėms.

Panevėžyje Kazimiera pabuvo tik kelis mėnesius ir Velykoms grįžo vėl į Ramygalos kleboniją, tačiau jau pasiruošimui vykti į Ameriką. Kazimiera buvo dar tik 16 metų ir negalėjo gauti valdžios leidimo keliauti viena. Buvo tik viena išeitis — slapta pereiti į Prūsus ir ten kaip nors prisijungti prie kitų emigrantų, vykstančių į Ameriką. Net ir dabar, mūsų laikais, paprastai kaimo mergaitei tokia „kelionė į Ameriką" atrodytų gal ne labai patraukli. Pati Kazimiera išviso nenusivokė, kaip tai padaryti. Kelionės planą kūrė Ramygalos klebonas kartu su Kazimieros tėvu. Sutarta, kad Kazimiera nuvyks į Tauragę, iš čia pėščia pereis per rubežių į Tilžę, o iš Tilžės jau traukiniais vyks į Hamburgą. Tačiau lengva tokią kelionę suplanuoti žodžiais klebonui ir subrendusiam ūkininkui, o visai kas kita tai įvykdyti vienai išleistai jaunametei kaimo mergaitei.

Kaip tokiais atvejais Lietuvoje buvo priimta, Kaupų šeimoje buvo suruoštos Kazimieros išleistuvės. Dalyvavo ne tik kaimynai, giminės, apylinkės jaunimas, o atvyko Ramygalos klebonas, vikaras ir visi bažnyčios tarnai. Žinoma, visi linksminosi. O Kazimiera viena sau galvojo apie ilgos, painios kelionės sunkumus. Tėvai gal ir atjautė jos nuotaikas, o jaunimas tai neslėpė net pavydo, kad Kazimierai tenka ta retam galima laimė pamatyti pasaulio, vykti į Ameriką. Amerikoje ji iškils aukščiau už juos čia pasiliekančius, gaus turtingą vyrą. Kokia laimė, ko geresnio galėtum pageidauti.

KAZIMIERA IŠVYKSTA
Į AMERIKĄ

1897 metų gegužės pirmos dienos rytą Kazimiera, stovėdama tėviškės kiemo vartuose, žiūrėjo į gimtojo Gudelių kaimo kelią, tada jau žavinčiai gražų pavasario sodų žiedais ir besiskleidžiančiais švelniais lapais. Jai tiesiog spaudė širdį, mąstant, kad gal daugiau niekad nepamatys savo gimtojo kaimo, tačiau susivaldė neraudojusi, kad negraudintų savo tėvelių, brolių, sesučių, kurie ir taip negalėjo paslėpti, kad ir jiems šis išsiskyrimas yra skaudus. Atėjus valandai atsisveikinti, ji net ramino beviltiškai raudančias savo jaunesnes sesutes.

Į Ramygalą pavėžino Kazimierą jos tėvelis Anupras, o iš Ramygalos klebonijos šeimininkė Katarina palydėjo Kazimierą į Panevėžio gelžkelio stotį. Čia Kazimiera pirmą kartą pamatė traukinį. Buvo jau vakaras. Prie traukinio atsisveikino ją ir Katarina. Naktį iš Panevėžio į Šiaulius Kazimiera keliavo viena, be jokio pažįstamo. Susirasti priemonę vykti iš Šiaulių į Tauragę Kazimierai teko pačiai. Besiteiraudama atrado kelis kitus — moterį ir du vyru, tokius pat pakeleivius į Ameriką, per Tauragę ir toliau. Kartu su jais ir Kazimiera pasirinko kelionės priemonę. Žydelis susodino juos ant grūdais pripiltų maišų prikrauto ilgo vežimo, traukiamo dviejų arklių. Važiavo taip greitai, kad geras ėjikas pėsčias būtų ėjęs greičiau. Diena buvo šalta, vėjuota, o Kazimiera neturėjo jokio šiltesnio rūbo, buvo apsirengusi vasariškai ir kiek ją rengusieji sugebėjo — miesčioniškai. Per dieną keliavę, nakčiai sustojo prie pakelėje stovinčios smuklės. Arklius pašėręs, žydelis nuėjo į smuklę. Abu keleiviai vyrai taip pat kažkur nuėjo. Moteris, susisukusi į didelę skarą, atsigulė ant maišų. Kazimiera sėdėjo viena sušalusi, kalendama dantimis, eiti į smuklę ji bijojo. Paryčiu sugrįžo anuodu kartu keliaują vyrai ir matydami bedrebančią Kazimierą net subarė:

— Ponia, gi tu apsirgsi. Eiki į karčiamą, ten galima gauti arbatos, apsišilsi.

Kazimiera paklausė, nuėjo į vidų, gavo karštos arbatos, atšilo ir, nepaisant, kad ten buvo žydelių ir kitokių prigulusių ant grindų, kiek tik tilpo, jinai susiradusi tarpelį atsisėdo ir taip pabuvo iki ryto. Sekančią dieną teko keliauti toliau kalvotu keliu. Kazimiera ir kiti bendrakeleiviai daugiau ėjo pėsti, aplenkdami ir savo, ir keletą kitų panašių vežimų. Taip keliaudami pasiekė Kelmę dar prieš vakarą, o iš čia iki Tauragės keliavo jau daug patogiau — pašto vežimu. Tauragės klebonija buvo painformuota apie Kazimieros atvykimą. Ji čia buvo priimta ir praleido tris dienas, kol atsirado vadovas per žalią sieną — slaptai į Prūsus. Po kelionės nuo Šiaulių iki Kelmės buvo gana pravartu atsigauti klebonijos ramybėje. Trečios dienos pavakare atsirado vyras su vežimu, paėmė į vežimą Kazimierą, dar du keleivius ir jų daiktus. Jau vėlai vakare, pavažiavus netoli už Tauragės, vežimas sustojo prie tilto. Palikę daiktus vežime,

Kazimiera ir kiti du keleiviai ėjo pėsti upės krantu. Staiga pasigirdo kažkoks vyro šauksmas. Abu keleiviai vyrai leidosi bėgti per purviną arimą, paskui juos ir Kazimiera. Už gerų varsnų bėgliai sustojo, Kazimiera juos pasivijo. Buvo jau pereitas rubežius į Prūsus. Paaiškėjo, kad girdėtas šauksmas buvo ne jiems, jie išsigando ir bėgo per purviną arimą visai be reikalo. Nė iš šen, nė iš ten, netoli jų pasirodė ginkluotas kareivis, bet jiems nieko nesakė. Bėgliai nuėjo į čia pat esantį ūkį, kur netrukus atsirado ir vežimas su jų daiktais.

Švintant rytui, keleiviai pasiekė Tilžę. Vadovas juos atvedė į vieną namą, kur jie palaukė, kol žmonės sukilo. Dabar ir šis vadovas Kazimierą paliko. Namo būta šalia Mauderodės spaustuvės, kur buvo spausdinamos lietuviškos knygos ir laikraščiai, iš čia slaptai gabenami į Lietuvą. Čia atsirado kunigo Antano Kaupo draugų, kurie pasiėmė Kazimierą savo globon. Aprodė jai visą spaustuvę ir visą Mauderodės įstaigą. Viskas buvo labai įdomu, tų dalykų nematė nė jos tėvas, kurio namuose buvo tiek daug čia spausdintų knygų, kurių ji pati buvo gana daug perskaičiusi. Paskui dienos metu jie aprodė Kazimierai Tilžės miestą. Po to pasilikusi viena kambaryje turėjo ką parašyti į tėviškę — ne tik kad jau Tilžėje, bet ir tai, ką čia matė. Tie patys draugai rytojaus dieną palydėjo Kazimierą į laivų agentūrą nusipirkti laivakortę ir buvo palikta emigracijos įstaigos žinioje. Čia teko Kazimierai pereiti visokius dezinfekcijos reikalavimus, apie kokius ji nebuvo niekad net girdėjusi. Susirinkę emigrantai po visų mediciniškų patikrinimų buvo susodinti į keleivinio traukinio ketvirtos, pačios prasčiausios klasės vagonus. Persodyti į kitus traukinius Karaliaučiuje, Berlyne ir kitur, net po trijų dienų kelionės, išvargę pasiekė Hamburgą. Čia teko visą savaitę laukti laivo. Kiekvienas keleivis gavo lovą uosto barakuose, o valgyti teko vaikščioti į kitą pastatą. Pirmą kartą keliaudami, nemokėdami vokiečių kalbos, daugelis keleivių ir Kazimiera nedrįso išeiti į miestą, o vaikštinėjo tik čia prie uosto, barakų kieme. Kazimierai čia buvo tik vienas malonus dalykas, kad turėjo laiko rašyti laiškus ir kad uoste buvo katalikų koplyčia, kur ji praleisdavo ilgas valandas. O laiškus rašė ne tik savus, bet keleivių tarpe ne retas nemokėjo rašyti, Kazimiera daugeliui parašė laiškus jų vardu jų saviesiems.

Tarpe kitų keleivių Kazimiera čia sutiko vieną šeimą, kuri grįžo iš Lietuvos į Ameriką ir vyko į tą patį Scrantoną, kur vyko ir ji. Ši pažintis Kazimierai buvo didelė paguoda, kad ji keliaujanti ne viena. Iš Hamburgo Kazimierai ir kitiems teko keliauti prekiniu laivu, vardu „MAIN". Išvykus iš Hamburgo, po dienos kelionės laivas sustojo Prancūzijos Le Havre uoste. Čia užtruko iki sekančios dienos popiečio, kol pakrovė įvairaus krovinio. Toliau kelionė per Atlantą buvo be ypatingų nuotykių, nuobodi ir labai varginanti. Kazimiera beveik išmėtinėjo širdyje savo broliui kunigui, kad jis pats tokią kelionę jau pergyvenęs, ją kvietė šitaip vykti pas jį į Ameriką.

Po šešiolikos dienų varginančios kelionės buvo pasiektas New York. Prasidėjo Amerikos įdomybės. Visi atvykusieji buvo suvaryti prie Pilies Sodo (Castle Garden). Čia jie buvo suskirstyti į būrius pagal tai, kur kuris keliavo. Kiekvieno būrio narys buvo atžymėtas vienodu dideliu numeriu. Kazimiera ir kiti, vykstą į Scranton, gavo No. 1. Iš eilės, pagal numerius būriai buvo laipinami į keltą, kuris iš čia veš juos į krantą. Pirmas buvo įleistas No. 1 ir patalpintas kelto pačiame gale, ir taip iš eilės pagal numerius viena grupė po kitos. Ant kelto grupės viena nuo kitos buvo atskirtos ištiesta virve. Paskui keltas plaukdamas vis sustodavo išlaipinti grupę ties traukiniu, kuriuo tai grupei teks keliauti. Grupė No. 1 išlipo paskutinioji ir sulipo į jų laukiantį traukinį. Scrantoną Kazimiera pasiekė birželio 12 dienos vakare, šeštadienį. Stotyje Kazimieros niekas nepasitiko, niekas nežinojo, kada ji atvyks į Scranton. Ana minėtoji iš Lietuvos grįžtanti šeima pakvietė Kazimierą nakvynei į savo namus. Kazimierai nebuvo kitos išeities, tik priimti tą kvietimą. Sekmadienio rytą pasiekė Šv. Juozapo kleboniją žinia, kad Kazimiera yra jau Scrantone. Klebonas A. Kaupas, būdamas užimtas bažnyčioje, pasiuntė zakrastijoną parvesti Kazimiera į kleboniją. Kazimiera atpažino savo brolį jį vos tik pamačiusi, bet brolis kunigas Antanas ilgokai žiūrėjo į savo sesutę kiek nustebęs: ji užaugusi, visai ne ta maža Kaziūnė, kokią jis paliko prieš porą metų. Kunigas vaizdavosi sutikti ją apsigaubusią skarele, kaip priimta Lietuvos kaime, o čia su miesčioniška moteriška skrybėlaite.

KAZIMIERA SCRANTONE

Taip Kazimiera pradėjo klebonijoje Amerikos gyvenimą. Nedideliame angliakasių mieste — Scrantone didelių įdomybių nebuvo, tačiau vistiek Kazimierai čia viskas buvo nauja, ne viskas geriau, negu ji buvo pratusi tėviškėje. Bendrai, pradžia Kazimieros perdaug nežavėjo. Sunkiausia jai buvo, kad čia viskas taip svetima, tolima. Pradžioje ją vargino net jai neįprasta anglimis kūrenama krosnis, visi jai neįprasti įrankiai, o nebuvo nė ko pasiklausti, nė kas pamokytų. Klebonijos šeimininkės atsakomybę, anglų kalbos nemokėjimą ir visa kita sudėjus kartu, Kazimierai buvo, toli gražu, ne rojus. Pasigedo ir bendrų maldų, kaip jos buvo praktikuojamos tėviškėje, pasigedo ir sekmadienio pamaldų. Čia ir bažnyčioje skubama, tiek jai neįprastų skelbimų, neturinčių nieko bendro su Mišiomis. Tiesa, kad meldėsi ir viena sau klebonijoje, ir Šv. Juozapo bažnyčioje, bet ypatingais maldos momentais ji visa širdimi būdavo atgal Lietuvoje. Viduje ji jautėsi labai nelaiminga. Ji neturėjo su kuo pasikalbėti savo dvasinės savijautos

35

temomis, išskyrus savo brolį kunigą, kuris buvo taip užimtas parapijos reikalais, rašymu, kad pokalbiams su sesute jis neturėjo laiko. Jis pagirdavo sesers pamaldumą, bet tik tiek. Žmonės, kuriuos pradėjo ji čia pažinti, jai atrodė labai paviršutiniški ir materialistai. Nėra ko stebėtis tokiais Kazimieros įspūdžiais. Net su tuo pradiniu išsilavinimu, kiek jo turėjo šiuo metu Kazimiera, ji buvo daug pranašesnė už daugelį lietuvių ir nelietuvių imigrantų, kurių didelė dalis nemokėjo nė skaityti, nė rašyti, kurių pirminis tikslas buvo kuogreičiausiai užsidirbti, susitaupyti tiek, kad arba čia galėtų įsigyti nors kokį namelį, arba grįžti atgal į tėvynę, kad ten pradėtų savistovų gyvenimą. Taigi Kasimiera leisdavo dienas daugiausia viena klebonijoje, nes sau tinkančių draugių nesurasdavo. Ji dažnai pagalvodavo, kad tėviškės išsiilgimui ir ašaroms nebus galo. Po poros metų tačiau ji tiek apsiprato, kad liovėsi nors verkusi.

Tačiau prie Amerikos ji vistiek nepriprato. Ji nuolat prašydavo brolį leisti jai grįžti atgal į Lietuvą. Savo broliui tuo ji kartais net įkyrėdavo, kad šis kartais jai atsakydavo: „Ką tu ten veiksi? Šersi kiaules? Kas tavęs laukia?" Nors Kazimiera padoriai apsirengė, brolis negailėjo jai progų pamatyti ir teatrus, ir operas, ir pakeliauti, ką ji net pamėgo, tačiau visa tai nepririšo Kazimieros prie Amerikos. Ji liko nusistačiusi grįžti Lietuvon. Ji stebėjosi Amerikos pažanga, tačiau tai jos nepatenkindavo. Ji vis kalbėdavo savo broliui, kaip ji, grįžusi Lietuvon, mokys žmones švaros, kaip kukliai ir praktiškai apsirengti, kaip susitvarkyti namo vidų ir aplinką. Vienu žodžiu, grįžusi Lietuvon, ji taps Vinco Pietario Keidošių Ona, apie kurią ji buvo skaičiusi. Jos mintis brolis pagirdavo, bet vistiek baigdavo paraginimu, net prašymu pasilikti su juo.

Amerikoje vienas dalykas Kazimierai labai patiko, ji tiesiog giliai žavėjosi, tai matomos seserys vienuolės, kur nors šalia bažnyčios rikiuojančios vaikus eiti į klases mokyklose, ar sutinkamos „streetkariuose". Lietuvoje niekad nebuvo jų mačiusi, apie jas neturėjo net sąvokos, nuovokos apie jų gyvenimą, veiklą. Žiūrint į jas, Kazimierai atrodė, kad joms rūpi tik Dievas ir jaunimo švietimas, o ne medžiaginiai interesai. Kokios jos laimingos, pagalvodavo Kazimiera. Besiruošdama išvykti iš Lietuvos, Kazimiera pergyveno baimę ir buvo labai susirūpinusi, kad Amerikoje ji galinti prarasti pamaldumo nuotaiką. Prieš išvykdama, savo parapijos Ramygalos bažnyčioje ji susijaudinusi meldė Dievo pagalbos, kad ta nelaimė jos neištiktų. Gi dabar čia ji mato tokių gražių pavyzdžių, apie kokius Lietuvoje ji neturėjo net nuovokos. Matomos vienuolės darydavo Kazimierai tokio gilaus įspūdžio, kad ji nesugebėdavo jų ne tik žodžiais išreikšti, bet net mintimis aptarti. Tai jai labai padėjo išlaikyti iš tėviškės išsivežtą nuotaiką. Tačiau kaip nors asmeniniai susipažinti nors su viena vienuole nepasitaikė progų, o pati jų ieškoti nedrįso.

Nors ir čia, kaip Lietuvoje, Kazimiera mėgo skaityti lietuviškas knygas, laikraščius, bet apysakų, romanų nemėgo — tie nebuvo pagal jos skonį. Ji labiau mėgo religinio, dvasinio turinio knygas. Tai matydamas brolis kartais paerzindavo Kazimierą už jos pamaldumą, tačiau netrukdė jai nė melstis, nė skaityti, kas jai patiko. Kartais brolis juokais išsitardavo, kad ji geriau tiktų vienuolynui, negu gyvenimui pasaulyje, tačiau Kazimiera apie vienuolyną negalvojo, neturėjo apie tą gyvenimą net nuovokos. Ji jautė, kad gyventi ir savo sielai ir kitiems, kaip ji norėtų, būtų įmanoma tik vienuolyne. Ji pamažu pra-

37

dėjo apie tai galvoti, ilgainiui ėmė rimtai tai svarstyti, bet kaip ir kur, kad ji nepažinojo asmeniniai jokios vienuolės, ne tik neturėjo jokio ryšio su jokia vienuolija, bet iki šiol nėra peržengusi jokio vienuolyno slenksčio.

Viena jauna lietuvaitė, vienos klebonijos šeimininkė Brooklyne, Morta Skripkaitė, su kuria kažkokia proga Kazimiera susipažino ir susidraugavo, įstojo į lenkių Nazareto Šventosios Šeimos kongregaciją. Kazimierai teko laimė palydėti ją į vienuolyną. Tada jos širdis tiesiog drebėjo iš džiaugsmo ir įdomumo pirmą kartą gyvenime įžengiant į vienuolyno lankytojų kambarį, nors tai buvo ne Motiniškas namas, o tik vienos parapijos mokytojų seserų vienuolynas. Nors jai atrodė kaip koks stebuklas susitikti veidu į veidą, pasisveikinti su maloniomis to namo vienuolėmis, tačiau ji neturėjo progos daugiau su jomis pasikalbėti. Išdrįso nors tiek ištarti, kad kartais ir ji pagalvojanti tapti vienuole. Vyresnioji sesuo atsakė, kad jeigu ji turėtų tokią mintį, tai jos amžiui jau laikas rimtai apie tai pagalvoti. Kazimiera neturėjo su kuo rimtai apie tai pasitarti. Kiek kartų nugirdo iš jos tai jos brolis kunigas Antanas ar kiti lietuviai kunigai, nė vienas jai nepritarė. Tokiu atveju ji turėtų eiti pas kitatautes ir atsitraukti nuo lietuvių. O jai atrodė, kad ji nesigailėtų nieko, ko reiktų atsisakyti darant tokį žingsnį. Vieno ji vistiek labai norėjo, tai, prieš darant tokį žingsnį, nors trumpai dar atlankyti savo gimtąją šalį.

ATGAL LIETUVON

Kazimiera buvo artimai susidraugavusi su kunigo V. Matulaičio seserim Ona, kuri sakydavo, kad rimtai galvojanti grįžti į Lietuvą. Vieną dieną atvyksta Ona į Scrantoną atsisveikinti Kazimierą — ji išvyksta į Lietuvą. Klebonas A. Kaupas buvo išvykęs keliom dienom. Kazimiera čia pat pareiškė savo draugei Onai, kad ir ji važiuojanti kartu. Čia pat praneša savo broliui, prašydama nupirkti jai laivakortę. Čia pat su viešnia kartu išeina į miestą, nusiperka reikiamų valizų, ir abi pradeda tvarkyti Kazimieros daiktus kelionei. Gavęs žinią, brolis tuoj parvyksta su keliais kitais savo draugais lietuviais kunigais, ir visi ima Kazimierą ne tik perkalbinėti, o tiesiog barti. Tačiau Kazimiera šį kartą buvo neperkalbama. Ji paruošė vakarienę, o paskui vėl ėmėsi ruoštis kelionei. Vėlai vakare kunigai išsiskirstė. Rytojaus dieną brolis kunigas nieko nevalgė, nekalbėjo, net nerašė, ką jis kasdien darydavo. Net Ona pradėjo barti Kazimierą, kad ji esanti beširdė. Kazimiera atsiprašė brolį ir prižadėjo pasilikti iki naujos bažnyčios ir naujų varpų pašventinimo.

Ona Matulaitytė išvyko į Lietuvą viena. Po kiek laiko ji parašė Kazimierai apie kelionę ir kad dabar Lietuvoje ji jaučiasi taip, kad „niekas nė su pyragu manęs nenuviliotų atgal į Ameriką". Kazimiera gavo žinių ir iš tėviškės, kad jos tėvelis sunkiai serga vėžiu. Ji galutinai apsisprendė ir tėviškėn parašė, kad ji parvyks nors pasimatyti su savo tėveliu. Deja, pirmiau negu buvo pašventinta bažnyčia, jos varpai, brolis kunigas ir ji gavo žinią, kad prieš mėnesį mirė judviejų tėvelis Anupras.

Po bažnyčios ir varpų pašventinimo iškilmių vasara ėjo galop. Kazimiera rimtai ruošėsi kelionei, šį kartą su Pittstono klebonijos šeimininke. Kunigui Antanui nepavyko Kazimierą perkalbėti. Jis užsakė jai laivakortę. Prieš išvykdamos abi pasistengė nors tiek, — surasti abiem klebonijom šeimininkes. 1901 metų rugsėjo 5 dieną „Bismarck" laivu išplaukė Kazimiera iš New Yorko į Hamburgą. Laivui judant nuo kranto ir akimis atsisveikinant liekančius ant kranto, Kazimieros akys niekur nesurado savo brolio kunigo Antano, kuris ją palydėjo iki laivo. Ji tai skaudžiai pergyveno, galvodama, kad jos brolis, nenorėdamas ašaroti žmonėms matant, verkdamas nuėjo sau vienas... Visą kelionę ji kasdien apsiverkdavo prisimindama savo pokalbius su broliu, ką ji skaitydavo iš jo parašytų dalykų, kaip praleisdavo vakarus, pasidalindami dienos įspūdžiais, kaip eilė jos pasipasakojimų pateko į „Karvojaus Laiškus", kaip vakarais lošdavo kortomis ar kvadratais. Juo toliau nuo Amerikos slinko laivas, tuo ji skaudžiau jautė palikto brolio vienatvę.

Visa kelionė šiaip buvo gana patogi, visai nepanaši kelionei į Ameriką prekiniu „Main" laivu. Be ypatingų prietykių pervažiavusi Vokietiją, pasiekė Eitkūnus. Ant Rusijos rubežiaus Virbalio stotyje (taip vadinosi dabartiniai Kybartai) abi lietuvaitės užsispyrė kalbėti tik lietuviškai. Atsirado lietuviškai kalbąs muitinės tarnautojas, kuris tik paviršutiniškai peržvelgė jų daiktus. Taip pat ir dokumentus patikrinant abi kalbėjo tik lietuviškai. Ir čia atsirado lietuviškai kalbąs tarnautojas. Po visų patikrinimų, gelžkelio stotyje laukiant traukinio, tuodu abu tarnautojai atėjo pas šias dvi paneles iš Amerikos pasikalbėti apie Ameriką.

Prieš išvykdama į tėviškę, Kazimiera atlankė anksčiau parvykusią Oną Matulaitytę. Kazimiera tyliai stebėjosi, kaip per vienus metus pasikeitė Onos nuomonė apie Lietuvą ir apie Ameriką. Ji buvo tarsi

Kazimiera su savo motina Antanina

užmiršusi, ką rašė iš Lietuvos, kad „daugiau niekas nė su pyragu nenuviliotų atgal į Ameriką". Ji dabar beveik priekaištingai klausė: „Ir kas gi judvi išvarė Lietuvon?"

Paviešėjusi kelias dienas Suvalkijoje, traukiniu pasiekė Panevėžį, o iš čia per Ramygalą trečios dienos pavakare buvo jau Gudeliuose. Čia tik tėviškės trobesiai atrodė tie patys, kaip palikti prieš ketvertą metų. Motina suvargusi ir atrodė net ūgiu sumažėjusi, seserys užaugę į merginas. Tačiau Kazimiera vistiek jautėsi sugrįžusi „namo" — į tėviškę. Pirma naktis praėjo be miego. Padalinus parvežtas lauktuves, pokalbių užteko iki ryto. Beveik mėnesį laiko ėmė kaimynų, giminių, draugių lankymas. Po to Kazimiera įsijungė į tėviškės ūkio gyvenimą ir reikalus. Kai netrukus po Kazimieros parvykimo Ramygalos klebonas buvo parvežtas į Gudelių kaimą pas ligonį, kur tokia proga susirenka visi kaimynai, kai ligoniui dvasiniai patarnavus susirinkusieji vienas po kito, sveikindamiesi su klebonu, bučiavo jam ranką, priėjus Kazimierai, klebonas juokais paklausė: „Tai ką ši amerikoniukė dabar veikia kaime?" Kazimiera atsakė viską dirbanti, tik kiaulių šerti dar netekę. Klebonas, o turbūt ir kiti girdėjusieji šį atsakymą, tai visada atsiminė. O pati Kazimiera, jeigu būtų jai kada tekęs ir toks darbas, niekad nebūtų atsisakiusi, nes ūkyje tai vienas iš eilinių būtinų darbų.

Tėviškėje nuotaika buvo visiškai kitokia, negu Scranton klebonijos vienatvėje. Šeimininkas vyriausias brolis dar nevedęs, jaunesnės seserys jau užaugę į merginas, visi kartu dirba, visi kartu dainuoja, visi kartu ir pasimeldžia, kaip iš seno įprasta jų šeimoje. Vienu žodžiu — laiminga jaunystė tėviškėje savųjų tarpe. Kad taip visada tesėtų. Deja, ir darniausioje šeimoje tai laikina. Nors nė vienas to nenorėjo, bet kiekvienam tai buvo aišku, kad anksčiau ar vėliau teks išsiskirstyti. O tai pradėti tenka vėl Kazimierai. Pagyvenusi tėviškėje pusę metų, ji rimtai susirūpino, kaip toliau tvarkyti savo ateitį. Apie ištekėjimą ji nenorėjo nė galvoti. Ką gi tikrai daryti? Ji norėjo padaryti ką nors gero, bet ką ir kaip? Ji, mažamokslė kaimo jaunuolė, atsakymo savo klausimui nė pati negalėjo sugalvoti, nė pavyzdžių nematė. Jeigu ji būtų ir sugebėjusi savo rūpestį ir jausmus išreikšti žodžiais, tai neturėjo su kuo pasitarti. Pati viena priėjo išvados, kad pirmiausia reikia daugiau prasilavinti, o tik po to bus galima galvoti apie kokius nors darbus. Jos jauniausiam broliukui Juliui atėjo laikas ruoštis gimnazijon, ir visi vyresnieji šeimos nariai sutarė padėti jam toliau mokytis. Kazimiera galvojo vykti į Panevėžį, nusisamdyti kelis kambarius mokinių bendrabučiui, kur gyventų ir jos broliukas ir kiek tilptų kitų mokinių. Ji jiems patarnautų, iš to kaip nors pragyventų ir pati mokytųsi, jeigu ne kur kitur, tai nors pas panelę Kaminskaitę. Tačiau Juliukas nepateko į Panevėžio gimnaziją. Tada rusų caro politika labai varžė bendrai lietuvių, o ypač kaimiečių švietimą. To meto Aukštaitijos ir Žemaitijos paskiau žymių lietuvių mokėsi Latvijos gimnazijose: Liepojoje, Mintaujoje, Rygoje. Ir Juliukas buvo priimtas į Liepojos gimnaziją. Kazimieros planas nepavyko. Dėl daugelio motyvų ji negalėjo svajoti to apie Liepoją, ką svajojo padaryti Panevėžyje.

Kazimiera mintimis vėl grįžta į Ameriką, tačiau ne šeimininkauti klebonijoje. Ji galėtų ten stoti į Nazareto Šventos Šeimos vienuoliją, ten pasiruošti ir paskui galėtų mokytojauti kurioje nors lietuvių parapijoje. Ji pati matė ir gerai suprato, kaip ten lietuvių parapijų mokyklose reikia lietuvių mokytojų. Buvusi jos draugė Morta Skripkaitė, kurią Kazimiera kadaise palydėjo į vienuolyną ir kuri dabar mokytojauja Chicagoje Švento Jurgio lietuvių parapijos mokykloje, pradėjo savo laiškais Kazimierą gundyti grįžti į Ameriką ir stoti į tą pačią Nazareto Šventos Šeimos vienuoliją, kurioje dabar yra ir darbuojasi ji pati. Seselės Skripkaitės pakartotini tiesiog raginimai grįžti į Ameriką ir tapti vienuole Kazimierą vis labiau ir labiau jaudino. Gal turėjo įtakos ir tai, kad kaip tik dabar Kazimiera skaitė kardinolo Wisemano „Fabiola". Joje kilo ne tik noras, o pasiryžimas savo gyvenimą skirti kitų, ypatingai dvasiniam gėriui. Galutinai ji viena sau nusisprendė grįžti į Ameriką, ten stoti į Nazareto Šventos Šeimos vienuoliją, ten pasiruošti ir pasišvęsti lietuvių vaikų mokymui. Kazimiera sako negalėjusi užmiršti Scrantone per keturis metus įsigyto įspūdžio, kiek žalos lietuviams daro keli lietuviai bedievybės skleidėjai. Savo broliui kunigui ji dažnai išsitardavo:

— Jeigu būčiau vyras ir daugiau pasimokiusi, aš jiems duočiau šarmo tiems visokiems „šliuptarniams".

GRĮŽTI Į AMERIKĄ IR
TAPTI VIENUOLE

Taigi, Kazimiera viena sau nusitarė ir pasiryžo
grįžti į Ameriką, tapti vienuole ir mokytoja. Bešeimi-
ninkaudama Scrantone pas savo brolį kunigą Anta-
ną, kuris buvo labai populiarus lietuvių kinigų tarpe,
Kazimiera pažino ne mažai lietuvių kunigų, jų tarpe
vieną taip pat iš populiariųjų kunigų Antaną Miluką,
kuris šiuo metu buvo Šveicarijoje, Fribourge, kur
studijavo būrelis lietuvių kunigų. Kai kada kunigas A.
Milukas parašydavo Kazimierai, ji parašydavo jam.
Viename laiške kunigas A. Milukas paminėjo, kad
netrukus jis grįš į Ameriką. Tai buvo proga, kad jam
atsakydama Kazimiera pasisakė savo sprendimą grįž-
ti į Ameriką, bet ne kitur, o į Chicagą ir ten stoti į
Nazareto Šventos Šeimos vienuoliją ir ruoštis moky-
tojauti. Kaip ji sako, išsiuntus šį laišką, ją apėmė kaž-
koks nesuprantamas jausmas, kad šis laiškas nulems
jos visą ateitį ir kad ta nesuprantama nuotaika
neapleidusi jos ilgesnį laiką.

NAUJA IDĖJA — STEIGTI
NAUJĄ SAVĄ VIENUOLIJĄ

Ne ilgai trukus Kazimiera gavo iš kunigo A. Miluko atsakymą į aną savo laišką. Kunigas A. Milukas pritarė jos minčiai tapti vienuole, tik kodėl ji norinti stoti į lenkių vienuolyną? Jis ir kiti lietuviai kunigai Fribourge būtų nuomonės, kad reiktų steigti savą, nepriklausomą lietuvaičių kongregaciją. Anot, jo, gal būtų geriau galvoti ne apie mokymą, o apie spaudos darbus — spausdinti ir platinti knygas, laikraščius, kaip daro seserys Paulietės. Jų ir gyvenimo būdas ir talka platinant gerą spaudą esą verti pasekti.

Savo vienuolių Kongregacijos mintis Kazimierai patiko. Jos manymu, atsirastų daugiau lietuvaičių, kurios pritartų tokiai kongregacijai. Galutinai savo mintį grįžti į Ameriką ir ten tapti vienuole Kazimiera pasisakė savo motinai, broliui, sesutėms. Šie ne daug ką galėjo jai pasakyti, nes apie tai neturėjo nė tiek nuovokos, kiek pati Kazimiera. Turbūt jų visų mintį išreiškė motina, ašarodama ir sakydama: „Dievas tau tepadeda, mano dukrele, tačiau aš negaliu suprasti, kas ir kaip ten vyktų. Tu pati geriau tai žinai".

Kazimiera parašė apie savo planus ir broliui kunigui Antanui į Scrantoną, kiek sugebėdama plačiau. Vargiai kada iki šiol ji išgyveno tokį džiaugsmą, kaip gavusi į laišką savo brolio atsakymą. Brolis pritarė jos minčiai tapti vienuole. Jeigu ji vyks į Šveicariją mokytis, jis pažada apmokėti jos ten gyvenimo ir mokymosi išlaidas. Dabar Kazimiera tik vieno prašė savo maldoje, kad visa tai išeitų Dievo garbei.

Buvo jau gražus pavasaris. Kazimiera pasiryžo nuvykti į Vilnių ir pasimelsti į Švenčiausią Mariją Aušros Vartuose. Prisikalbino savo sesers Juozapinos vyro motiną ir abi nuvyko į Vilnių. Čia praleidę kelias dienas, Kazimiera patyrusi tokių išgyvenimų, kokių niekad iki šiol neturėjusi. Lankė daug nepaprastai gražių bažnyčių, dalyvavo Dievo Kūno procesijoje kažkurio seno vienuolyno koridoriuose, apėjo Kryžių Kalvarijas, daug kartų vėl grįžo į Aušros Vartus, bet turbūt jautriausias išgyvenimas buvęs besimeldžiant prie savo dangiškojo globėjo švento Kazimiero karsto. Kiek tik pajėgdama, širdingai pasivedė Švenčiausios Marijos, švento Kazimiero globai, jausdamosi tiesiog tikra, kad jos gyvenimo nuolatinis prašymas — būti apsaugota nuo pasaulietiškos tuštybės bus išklausytas. Dienos Vilniuje Kazimierai buvo iki šiol niekad nepatirta dvasinė puota.

VYKTI NE Į AMERIKĄ
O Į ŠVEICARIJĄ

Grįžusi iš Vilniaus, Kazimiera pradėjo ruoštis kelionei. Gavusi pasą ir laiškais sutartu laiku ji nuvyko į Virbalį ir perėjo į Prūsus — Eitkūnus čia susitikti su kunigu A. Miluku, kuris čia laukė atvykstant savo giminių prieš išvykdamas į Ameriką ir savo brolio, kuris kartu su juo vyks į Ameriką. Kartu čia buvo ir kunigas Šedvydis, kuris Kazimierai papasakojo, kad ir jis siunčia savo seserį į Šveicariją mokytis ir kad viskas yra jau sutvarkyta jom abiem gyventi ir mokytis Šveicarijoje, Ingenbohl vietovėje, pas Švento Kryžiaus Gailestingas Seseris. Kazimierai jis įdavė sąrašą, kokius daiktus turinti ten nusivežti.

Užsienyje leidžiamam laikraštyje „Žvaigždė" apie tą laiką 1902 metais pasirodė kunigo A. Miluko straipsnis: „Naujas užmanymas", kuriame jis sako, kad esanti mintis steigti savą lietuvaičių seserų vienuoliją, kurios galėtų pasišvęsti ir spaudos darbui, ir mokymui. Lietuvaitės mergaitės raginamos atsiliepti, kurios tai minčiai pritartų. Kazimierai besiruošiant kelionėn, tokių atsiliepimų dar nebuvo girdėti,

48

Kazimiera prieš išvykdama į vienuolyną
(Šveicarijon)

tačiau kol kas ji tuo labai ir nesidomėjo, nes ji pati
vyksta į Šveicariją dar tik mokytis, ruoštis.
Pasimačiusi su minėtais dviem kunigais Eitkū-
nuose, Kazimiera parvyko į tėviškę ir rimtai pradėjo
ruoštis kelionei į Šveicariją. Giminės ir kaimynai
stebėjosi, kad taip trumpai pabuvusi Lietuvoje ir
tėviškėje, Kazimiera rengiasi vėl išvykti. Daugelis tai
apgailestavo, kad tėvynėje, kuri turi tiek mažai
prasilavinusių žmonių, nenori pasilikti tie, kurie kuo
nors pranašesni už kitus. Net ir klebonas, kai
Kazimiera nuėjo gauti gimimo metrikus, ją beveik
apibarė, kad Lietuvoje esant tiek darbo, nepasilieka
tie, kurie galėtų būti kuo nors naudingi. Kazimiera

paaiškino, kad vykstanti pasimokyti, kad paskui galė-
tų būti naudingesnė Lietuvos žmonėms.

— Na, gerai, atsakė klebonas. Jeigu mokytis, tai
važiuoki, bet jeigu tik taip sau gyventi svetur, tikėki,
kiek būtų mano galioje, aš nesutikčiau.

Kazimierai buvo sunkiau įtikinti savas giminai-
tes ir kaimynų mergaites. Jų ir protams, ir širdims
buvo nepriimtina, kad jauna mergina išvyktų viena
svetur ir daugiau niekad negrįžtų. Kazimiera joms
aiškino, kad pasilikusi kaimo mergina ar ištekėjusi, ji
kitiems neduotų nieko gero, rūpintųsi tik savimi ir
savo šeima. Gi tapusi vienuole ji galės mokyti šimtus
ir tūkstančius vaikų. O kai tokių jaunų moterų susi-
renka didesnis skaičius, tada jos gali nuveikti ir kito-
kių didelių darbų. Tačiau merginos, jos klausydamos,
tik lingavo galvomis, tokių dalykų savo gyvenime
negirdėję, nematę, nesugebą nė suprasti, apie ką
Kazimiera kalba.

Kai Kazimiera šeimininkavo pas savo brolį kuni-
gą Scrantone, jos vienišumą kai kas laikė išdidumu,
nenoru bendrauti su žmonėmis. Čia, savo gimtajame
kaime savo nuoširdžiu paprastumu sutapo su visais
— ji mėgo visus, visi mėgo ją.

Atėjo Mykolinės. Prieš du metu Kazimieros
namiškiai ruošė jai sutiktuves grįžtančiai iš Ameri-
kos. Šį kartą tenka ruošti skaudžias atsiskirtuves. Šį
kartą ji atsisveikino savuosius, savieji ją be vilties dar
kada nors pasimatyti. Visi beviltiškai verkė. Kazimie-
rai pavyko susivaldyti. Ji ramino raudančius moti-
nėlę, sesutes, brolį ir kitus, sakydama, kad yra leng-
viau atsisveikinti gyviems, negu mirusį. Jos dvi
sesutės ir vienos iš jų vaikai palydėjo Kazimierą į
gelžkelio stotį Panevėžyje.

Panevėžyje Kazimiera atlankė buvusią savo
mokytoją panelę Kaminskaitę, kuri, pašaukusi tada

Kaupų šeima 1902 m. jau po tėvo Anupro Kaupo mirties. Iš kairės dešinėn: Antanina (Krotkienė), Vincentas, Katarina, šeimos motina Antanina, Bronislava (Sabonienė), Julius, Kazimiera, Salomė (Valonienė). Nuotraukoje nėra vyriausios Kaupaitės Juozapos (Antanaitienės) ir kunigo Antano Kaupo

pas ją besimokančias mergaites, papasakojo joms apie
Kazimierą, apie jos gabumus, stropumą. To klausy-
dama Kazimiera nejaukiai jautėsi. Ji papasakojo
joms savo kelionės tikslą, kad apsisprendė tapti
vienuole ir mokytoja, ko Lietuvoje ji negalinti pasiek-
ti. Panelė Kaminskaitė ją padrąsino, sakydama, kad
tokiam užmojui ji esanti pakankamai talentinga.
Būrelis savųjų palydėjo Kazimierą į gežkelio stotį.
Traukiniui pajudėjus tiesiai į vakaro tamsą, nieko
nesimatė, ir Kazimiera pajuto tikrą atsiskyrimą. Liko
tarsi už nepermatomos sienos ir gimtinė, ir savieji, ir
viskas, kas buvo sava. Dabar ji jau nesusivaldė ir
nieko nesivaržė. Pradžioje tik ašaros riedėjo, o netru-
kus pradėjo, kaip ji sako, raudoti žodžiais, pati sau
išmetinėdama: ,,Mano brangioji Tėvyne, ką gi tu man
blogo padarei, kad aš tave apleidžiu... net nežino-
dama, kas manęs laukia svetimam krašte. Vykstu
svetur aklai, palikdama raudančius savuosius". Aša-
ros buvo vienintelis širdžiai palengvinimas, guodėsi
tik tuo, kad iš savųjų niekas nematė šių jos ašarų,
savieji jau likę toli, o kartu keliaujantieji snausdami
nė vienas nesidomėjo nė ja, nė jos raudomis. Kazimie-
ra susiraminusi tik mintimi, kad Dievas to nori ir jis
ją veda. O jeigu taip, tai nėra nieko persunkaus, nie-
ko perdaug...
    — Nebūsiu Dievui įkyri, o viską jam paaukojusi
tesėsiu pildydama jo valią. Šia mintimi Kazimiera
apsiramino.
    Rytui išaušus, Kazimiera išlipo iš traukinio Liepo-
joje, jau sausomis akimis, linksmu veidu, nes čia atvy-
ko, kad atsisveikintų savo jauniausią 12 metų brolelį
Juliuką, kuris čia gimnazijoje mokėsi. Tai tas pat
vėliau Julius Kaupas, kuris 1911 metais išvyko į
Ameriką, čia baigė mokslą, lavindamasis Valparaiso,
katalikų universitete Washingtone, D.C.,Fordhamo

52

universitete, veikliai dalyvavo Amerikos lietuvių gyvenime, 1919 metais grįžo į Lietuvą, buvo išrinktas į Lietuvos Steigiamąjį Seimą, pagarsėjo kaip finansininkas. Tik tą vieną dieną Kazimiera praleidusi su savo jauniausiu broliuku, vakare sėdo į traukinį vykti Žemaitijon susirasti kunigo Šedvydžio seserį Magdaleną, su kuria kartu turėjo vykti į Šveicariją. Magdalenos kitas brolis Antanas palydėjo abi keleives per Kretingą į Klaipėdą. Čia rado jų laukiantį kunigą A. Miluką, su kuriuo kartu vyks į Eitkūnus, kur kunigas A. Milukas susitiks su atvykusiais iš Dzūkijos savaisiais. Kunigas A. Milukas negalėjo pereiti į Lietuvą, nes rusų žandarai būtų jį areštavę. Ne tik Eitkūnuose, o ir Vokietijos uostuose buvo pilna rusų šnipų, kurie gaudė nelegaliai išvykstančius iš Lietuvos. Atsisveikinęs su savaisiais nė kunigas A. Milukas, nė Kazimiera bei Magdalena nesėdo Eitkūnuose į traukinį, o pasamdę vežiką arkliais nuvažiavo kelinton stotin toliau nuo Eitkūnų. Tik iš čia toliau traukiniu vyko į Berlyną.   Berlyne gelžkelio stotyje kunigui A. Milukui kažkur nuėjus, prie Kazimieros ir Magdalenos prikibo rusiškai kalbąs žydelis ir pareiškė, kad jas abi ir kunigo A. Miluko brolį jis areštuojąs kaip nelegaliai keliaujančius iš Lietuvos. Traukinio bilietų kontrolieriui žydelis įsakė jų neįleisti į traukinį, o pats kažkur nubėgo. Tik sugrįžus kunigui A. Milukui, griežtai reikalaujant ir keleiviams besigrūdant prie vartelių greičiau išeiti į peroną, kontrolierius, kad ir nepatenkintas, atžymėjo jų bilietus ir įleido pro kontrolės vartelius. Vos tik spėjus jiems sulipti į antros klasės vagoną, jie matė per langą, kaip anas žydelis su dviem vokiečių policininkais nuskubėjo į trečios klasės vagonus. Tačiau traukinys pradėjo jau judėti, žydelis ir policininkai turbūt pasiliko stotyje, kad traukinyje jie nepasirodė.

53

Jau išvažiavus tolokai už miesto, ir kunigas A. Milukas, ir kiti trys keleiviai lengviau atsiduso, kad laimingai išsisuko nuo arešto ir grąžinimo į rusų rankas. Tačiau tas prietykis juos tiek išgąsdino, kad, vos pasiekę Hamburgą, abi keleivės nusipirko po kitokį rūbą, kad būtų kiek panašesnės į vokietaites.

ŠVEICARIJOJE — INGENBOHL

Hamburge kunigas A. Milukas atsisveikino Kazimierą ir Magdaleną, iš čia su savo broliu jis vyko į Ameriką. Čia jų laukęs kunigas J. Civinskas palydėjo abi keleives į Šveicariją. Šveicarijoje, Luzernos mieste praleido porą dienų, kur kunigas J. Civinskas pasiliko, o keleives į jų tikslo vietą — Ingenbohl palydėjo kunigas Jonas Naujokas. Į Švento Kryžiaus seserų vienuolyną Ingenbohl atvyko vidurdienyje, 1902 metų spalio 27 d. Prie mergaičių mokyklos bendrabučio, kuris vadinasi Theresianum, vaikščiojo būrys mergaičių ir su jomis kelios vienuolės. Jos visos pasitiko naujai atvykusias. Bandė jas kalbinti vokiškai, prancūziškai, bet šios dvi kalbėjo tik lietuviškai ir taip jų tarpe pokalbis nevyko.

Po vakarienės kunigas J. Naujokas rengėsi išvykti ir su seseria direktore kažką kalbėjosi, abu keistai žiūrėdami į dvi naująsias studentes. Josdvi tik tiek spėjo, kad kalbėjo apie jas, bet nesuprato ką. Kunigas J. Naujokas ir sesuo direktorė patėmijo, kad jaunuolės supranta, jog yra kalbama apie jas, tad kunigas joms paaiškino, kad kalbėję, kaip jas, nemokančias kalbos, reikės suraminti, kai jos išsiilgs tėviškės. Kunigas J. Naujokas paaiškinęs seseriai direktorei, kad Kazimiera yra jau mačiusi pasaulio, turinti patirties, tik nežinia, kaip seksis Magdalenai. Kazimiera užtikrino, kad josdvi globosią viena kitą ir viskas bus gerai. Atsisveikinęs kunigas J. Naujokas išvyko ir taip šios dvi jaunos lietuvaitės atsiskyrė su paskutiniu palydovu, nors ir labai prielankioje atmosferoje, liko tarpe svetimų, negalinčių su jomis net susikalbėti.

Anų laikų nežinantiems bus pravartu priminti, kad tais laikais Lietuvą valdę rusai neleisdavo lietuviams vykti į užsienį studijoms, turėdavo mokytis Rusijos universitetuose, o kunigai — Peterburgo (paskui Petrogrado, dabar Leningrado vardu) Dvasinėje Akademijoje. Buvo ir pasauliečių, kurie slaptai išvykdavo į Vakarus studijoms, bet taip darė ir kunigai. Išvykusieji, registruodamiesi į kurį nors universitetą, pakeisdavo pavardes, kad rusų šnipai jų nesusektų. Kunigų dalis studijuodavo Romoje, bet žymus skaičius vykdavo Šveicarijon į Fribourgo katalikų universitetą, vadovaujamą Tėvų Jėzuitų. Ir čia minimi kunigai tokiu tikslu ir tokiu keliu buvo Šveicarijoje.

Kazimiera ir Magdalena pasilikę Ingenbohl, dabar jau studentės, darydavo tai, kas būdavo joms parodoma, sekė kitomis mergaitėmis studentėmis. Seserys bandė visaip jas kalbinti, bet šios dvi kalbėjo tik lietuviškai, o kitos nė viena tos kalbos nemokėjo. Buvo surasta viena kalbanti šiek tiek angliškai, tačiau tik tiek, kad Kazimierai nebuvo lengva su ja susikalbėti. Tai pirmoji diena. Gi sekančią dieną lietuvaitėms buvo priskirta speciali mokytoja vokietaitė panelė Maria Waldisberg. Kaip Kazimiera sako, reikėjo matyti, kad suprastum, kiek iš to buvo juoko.

Kunigas Antanas Milukas

Naujos dvi studentės geriau suprato, ką jų mokytoja
rodė joms gestais, negu tai, ką jinai kalbėjo joms
žodžiais. Atrodė, kaip nebylių mokymas. Nepaisant
visų sunkumų, po mėnesio laiko lietuvaitės jau
suprato nors elementariausius dalykus. Jos jau skai-
tė, o skaitydamos pradėjo ir kalbėti, žinoma, dar tik
taip, kad kitoms už Kazimierą jaunesnėms studen-
tėms būdavo nemaža juoko. Tačiau už poros mėnesių
— apie Kalėdas sesuo M. Fabiana lietuvaites jau
priėmė į vadinamą prieklasį, kur įvairių tautybių
mergaitės buvo mokomos vokiečių kalbos. Dauguma
tų studenčių buvo italiukės, savo gyvumu visai
skirtingos nuo Lietuvos kaimo mergaičių. Tačiau abi

lietuvaitės, o ypatingai Kazimiera, darė mokytojai turbūt gero įspūdžio, kad kada nors išeidama iš klasės trumpam ar ilgesniam laikui sesuo M. Fabiana palikdavo Kazimierą klasės prižiūrėtoja. Mergaitės turėjo tada klausyti Kazimieros kaip ir sesers M. Fabianos, be jos leidimo neišeiti iš klasės, ramiai laikytis. Kazimiera galėjo mergaitėms už tai nepatikti, tačiau vistiek turėdavo jos klausyti, nes sugrįžus sešelei M. Fabianai Kazimiera galėjo jai pasakyti, jeigu kuri būtų kaip nors netinkamai pasielgusi. Kazimieros širdžiai tos pareigos nebuvo labai malonios — jai, kaimietei prižiūrėti nors ir jaunesnes miesčioniukes. Nemokėdama nė vokiečių, nė italų kalbos, Kazimiera paprastai sėdėdavo mokytojos kėdėje tylėdama ir skaitydama. Tačiau pamažu toje kėdėje ir toje pareigoje ji apsiprato.

Abiem lietuvaitėm pradžioje vienas iš nemaloniausių dalykų buvo, kad neturėjo pas ką atlikti išpažintį. Lietuvis kunigas iš Fribourgo nebuvo dažnas svečias. Už penketo savaičių po jų atvykimo prieš gruodžio aštuntąją, Švenčiausios Marijos Nekaltai Pradėtos šventę, atvyko į Ingenbohl vienuolis pranciškonas vadovauti seserų ir studenčių trijų dienų rekolekcijoms. Abi lietuvaitės, nors ir būdavo jo konferencijose kartu su kitomis, tai iš jo kalbų nieko nesuprato, tyliai sau meldėsi ar skaitė ką turėjo lietuviško. Nekaltai Pradėtos Švenčiausios Marijos šventės dieną, kai visos seserys ir mergaitės ėjo Komunijos, lietuvaitės turėjo susilaikyti. Tada nebuvo priimta, kad kas eitų priimti Komuniją, jeigu ne tą pat dieną, tai ne daugiau kaip savaitę prieš tai neatlikęs išpažinties. Kaip Kazimiera sako, ji manė, kad jos širdis to neatlaikys. Po pamaldų išėjusi iš koplyčios, ji taip verkė, kad nei seserys, nei mergaitės negalėjo jos nuraminti.

Atėjo ir praėjo Kalėdos, Nauji Metai, o joks lietuvis kunigas nepasirodė. Lietuvaitės klausė sesers Vyresniosios, ar nebūtų įmanoma pakviesti kurį nors kunigą iš Fribourgo. Ar kviestas, ar ne, bet po Trijų Karalių 1903 metais atsilankė iš Fribourgo kunigas J. Naujokas. Jis šioms dviems lietuvaitėms pravedė trijų dienų rekolekcijas, išklausė išpažintis, abi atsigavo. Ką iš tų per tris dienas girdėtų dalykų jos atsiminė, ką užmiršo, bet vieną kunigo J. Naujoko aiškintą dalyką Kazimiera atsiminė visą gyvenimą — tai kaip yra sunku įsteigti naują vienuoliją. Matomai, kunigas J. Naujokas buvo iš kur nors girdėjęs apie tuos planus, ar bent skaitęs kunigo A. Miluko „Naują užmanymą". Apie tai kalbėdamas jis pasakė ir padrąsinančių minčių, kad yra neišvengiami dideli sunkumai, apsivylimai, bet reikia turėti drąsos, ryžto, ištvermės, pasišventimo. Vistiek tačiau reikia ir labai rūpestingai apsigalvoti, ar verta tokį darbą pradėti.

Čia pravartu pastebėti, kad lietuviai kunigai, svarstydami lietuvaičių vienuolių kongregacijos steigimą ir ieškodami tam tikslui dvasinio vadovo, buvo rimtai svarstę ir kunigo J. Naujoko asmenį. Tačiau netikėtai tas darbas teko kitam kunigui, apie kurį seks šiek tiek vėliau, o kunigas J. Naujokas, baigęs savo studijas Fribourge, Ph. D. laipsniu, grįžo į Lietuvą, iki 1918 metų buvo Peterburgo Dvasinėje akademijoje profesorium ir dvasiniu vadovu, po 1918 metų Seinų Vilkaviškio kunigų seminarijos profesorium, vicerektorium, rektorium iki 1938 m., mirė 1948 metais (žr. L.E. t. XX, psl. 89).

Lietuvaičių vienuolių naujos kongregacijos užmačių naujiena pasiekė ir Ingenbohl Švento Kryžiaus seseris vienuoles. Jos tuo susidomėjo. Jų klausiama Kazimiera pasipasakojo savo brolio kunigo, kunigo A. Miluko ir savo mintį pradėti lietuvaičių vienuolių kongregaciją. Kazimierai buvo įdomu, kad toje įstaigoje mokytojaują ir gyveną seserys vienuolės ir ten mokytojaują kunigai už tokią naujieną jos nepajuokė, neparodė net abuojumo ar nesidomėjimo, o priešingai ją drąsino ir ragino. Po Naujų Metų seserys pradėjo traktuoti lietuvaites kaip kandidates vienuolynui: jas vesdavosi kartu į seserų maldas, davė joms garsiai skaityti koplyčioje seserims iš vokiškų knygų. Jų ištarimas vokiškų žodžių ne retai seseris prajuokindavo, tačiau vienuolės buvo stebėtinai suprantančios ir tolerantingos, kad ir pačios lietuvaitės su tuo apsiprato, na, o tokių klaidų buvo kiekvieną dieną vis mažiau. Besiruošdama tokiam viešam skaitymui, Kazimiera darė stebėtiną pažangą vokiečių kalboje ir seserys tikrai nustebo, kai vasario mėnesį, po nepilnų keturių mėnesių nuo atvykimo į Ingenbohl, Kazimiera pasisakė atlikusi išpažintį vokiškai pas įstaigos kunigą kapelioną. Nuo tada, kad gal ir ne dėl to, Kazimierai buvo leista klausytis kunigo kapeliono konferencijų novicijoms ir novicijų mokytojos sesers pamokymų, direktyvų naujokėms apie vienuolinį kasdieninį gyvenimą ir kitus dalykus, reikalingus žinoti būsimom vienuolėm.

KAZIMIERA VIENUOLYNO NOVICIJATE

Atėjus vasarai, Kazimiera paprašė Švento Kryžiaus kongregacijos viršininkę leisti jai dalyvauti kartu su novicijomis rekolekcijose ir po rekolekcijų gyventi novicijate kartu su tos vienuolijos novicijomis. Pirmą prašymą — dalyvauti rekolekcijose kartu su novicijomis vienuolijos viršininkė galėjo patenkinti ir patenkino. Gi ne savo kongregacijos novicijai gyventi novicijate reikėjo leidimo iš Romos Vienuolių reikalams kongregacijos. Kazimierai buvo patarta, kad ji pati parašytų prašymą, paaiškinant, kad ji norinti tapti vienuole ne šios kongregacijos, bet kad jai būtų leista šioje kongregacijoje, jos noviciajate, susipažinti su vienuoliniu gyvenimu. Kazimiera, turbūt kurios nors vienuolės pagelbėta, parašė tokį prašymą vokiškai. Tai buvęs jos pirmas rašinys vokiečių kalboje. Šios vienuolijos viršininkė parašė tuo pačiu reikalu laišką savo vienuolijos protektoriui kardinolui Romoje, o Tėvų Kapucinų provincijolas, čia užsukęs vykdamas į Romą, abu raštu nuvežė į Romą. Iš Romos teigiamas atsakymas pasiekė Ingenbohl

1903 metais spalio 4 dieną. Kazimiera iš mergaičių bendrabučio buvo perkelta į novicijatą. Ši diena Kazimierai buvo tokia maloni, kad ji to išgyvenimo niekad neužmiršusi. Pamažu pradeda pildytis jos svajonė. Dabar novicijas ji ne tik matys, o su jomis gyvens, dalyvaus visose joms pamokose, įvairiose dvasinėse ir kasdieninio gyvenimo pratybose, dalinsis su jomis mintimis, įspūdžiais, išgyvenimais. Magdalena Šedvydaitė pasiliko mergaičių bendrabutyje, bet ne viena lietuvaitė. Tą vasarą atvyko iš Lietuvos į Ingengohl mokytis ir daugiau lietuvaičių. Jų tarpe Kazimieros jauniausia sesutė Katarina (vos 10 metų), viena Magdalenos Šedvydaitės giminaitė iš Žemaitijos ir trys jaunos mergaitės iš Suvalkijos. Apie šias kunigas J. Naujokas rašė iš Fribourgo Kazimierai, kad jo manymu Juditą Dvaranauskaitę būtų galima prikalbinti į projektuojamą naują vienuoliją. Gi Antanina Jakaitytė tikrai galės būti dalininke „Naujų užmanymų" visų džiaugsmų ir skausmų. Kitos atvykusios į Šveicariją tik mokytis, nors mokysis visos — ir tos dvi jo pavardintos. Antanina Jakaitytė buvusi labai gyvo būdo, mėgdavusi dainuoti, bandė rašyti eilėraščius, bet greitai susirgo ir jos dėdė kunigas, atvykęs iš Lietuvos, išvežė ją atgal į tėviškę. Visos kitos nerodė palinkimo į „Naują užmanymą". Tuo tarpu Kazimierai pavyko prisikalbinti tik Juditą Dvaranauskaitę. Ir ši tačiau dėl silpnos sveikatos mokėsi tik namų ruošos.

Atostogų metu atvykdavo į Ingenbohl iš Fribourgo kunigas J. Totoraitis (slapyvardžiu A. Norus), mokyti lietuvaites lietuvių kalbos gramatikos, Lietuvos istorijos. Lietuvaitės mokėsi iš kunigo J. Totoraičio šių dalykų ne tik iš reikalo, o su malonumu.

Sekančių 1904 metų vasarą atvyko iš Lietuvos į

Ingenbohl dar kelios lietuvaitės, bet tik mokytis, Kazimieros planui talkininkių neatsirado. Viena tačiau, iš Virbalio, pareiškė atvykusi ne mokytis, o stoti į užmatytą vienuoliją. Matomai, kunigo A. Miluko „Naujo užmanymo" gandas Lietuvą pasiekė ir ten buvo minimas. Ši mergaitė tačiau buvo bemokslė ir neturėjo lėšų mokytis. Kazimiera šaukėsi į savo pažįstamus Amerikoje šiai mergaitei pagalbos. Ir ši įsirašė tik į namų ruošos mokyklą, tad ir dabar galimų kandidačių naujai vienuolijai tik vien Kazimiera buvo bendro lavinimosi — mokytojų skyriuje.

AMERIKOS LIETUVIAI
KUNIGAI IR LIETUVAIČIŲ
VIENUOLIJOS IDĖJA

Iš kunigų Antano Kaupo ir Antano Miluko sklido pamažu žinia lietuvių kunigų tarpe apie Kazimieros Kaupaitės ruošimąsi pradėti naują lietuvaičių vienuoliją. Tuo pačiu metu, kai Kazimiera mokėsi ir ruošėsi Ingenbohl, Amerikos lietuviai kunigai įvairiomis progomis kalbėdavosi apie lietuvaičių vienuolijos idėją. Tada Amerikos lietuviai kunigai dar nebuvo apsijungę tuo ryšiu, kuris yra žinomas Amerikos Lietuvių Kunigų Vienybės vardu. Kada ir kur prie progos lietuviai kunigai kalbėdavosi apie lietuvaičių vienuolių idėją, minčiai visi pritardavo. Mažiau buvo kunigo A. Miluko minties šalininkų — kad lietuvaitės vienuolės imtųsi vadovauti ir dirbti lietuviškai spaustuvei. Dauguma buvo minties, kad pirmasis reikalas yra parapijinės mokyklos. Tačiau pokalbiai likdavę pokalbiais, be konkrečių nutarimų. Kunigų A. Kaupo ir A. Miluko iniciatyva buvo bandyta ir konkretesnių žygių. Tuo tikslu sušauktame kunigų susivažiavime buvo išrinkta net Taryba. Tačiau 1904 metų rugsėjo 7 dienos data savo laiške kun. A. Kaupas rašo savo sesutei Kazimierai, kad „Kunigų Taryba projektuojamai kongregacijai sugriuvo. Visus raštus jie atsiuntė man, sakydami, kad aš pasielgčiau kaip išmanau. Užtat tau sakau, jeigu dar nori tapti vienuole, tai stoki į vienuolyną ir ja būki, nes dėl naujos kongregacijos čia nieko nedaroma". O dar daugiau ta tema panašių pesimistiškų minčių kunigas A. Kaupas parašė Kazimierai 1905 metais vasario 10 d. Kazimierai tai buvo nelauktas smūgis. Savo projektui ji palikta viena, be jokios paramos. Gi neužteks, kad ji viena ar ir kelios padarys vienuolinius įžadus. Naujai kongregacijai reikės Romos leidimo, vyskupo, kuris tokią kongregaciją priimtų savo diecezijon, reikės namo gyventi ir visko, ko gyvenimas reikalauja. Ji pati neturi visiškai nieko. Jeigu ne brolio pagalba, turėtų apleisti ir mokyklą, ir novicijatą, grįžti Lietuvon, ar, kaip brolis sako, tapti kokios nors nelietuvių kongregacijos vienuole. Nors ji niekam nepasakojo, ką parašė jai brolis kunigas, bet savijautos negalėjo paslėpti. Vienuolės pradėjo ją klausinėti, kas su ja įvyko, kodėl ji tokia nusiminusi.

Galutinai Kazimiera papasakojo savo vyresniosioms savo brolio kunigo laiško mintis. Šios ją suramino, padrąsino ir patarė parašyti broliui, kad jie ten Amerikoje ne tarybas ar komitetus organizuotų, o kad surastų vieną kunigą, kuris sutiktų šiuo reikalu rūpintis, surastų vyskupą, kuris sutiktų šią kongregaciją priimti į savo diecezija, išrūpintų Romos leidimą ir ją globotų. Kazimiera, kaip mokėjo, taip šias mintis parašė savo broliui kunigui, prašydama jį šiuo reikalu susisiekti su kunigu A. Miluku ir surasti tokį kunigą ir vyskupą. Kunigas A. Kaupas šį savo sesers laišką priėmė labai rimtai. Susisiekė su kunigu A. Miluku, kuris taip pat rimtai atsiliepė, ir abu pradėjo pirmoje eilėje ieškoti kunigo. Po vieno kito bandymo, ar tai pasekdami mintį kaikurių kunigų iš Lietuvos, ar sekdami savo nuomonę, juodu abu sustojo prie kunigo dr. Antano Staniukyno, neseniai atvykusio į Ameriką iš Lietuvos.

KUNIGAS ANTANAS
STANIUKYNAS

Kunigo dr. Antano Staniukyno biografiją yra parašęs dr. prof. Antanas Kučas (Kun. Antanas Staniukynas, 1965. Lietuvių Katalikų Mokslų Akademijos leidinys). Dar daugiau žinių apie jo asmenį yra Šv. Kazimiero Seserų kongregacijos archyvuose, Chicagoje. Čia apie kunigą Antaną Staniukyną tik keletas žodžių. Jono ir Elzbietos Jogytės Staniukynų ūkininkų sūnus Antanas gimė 1865 metais gegužės 4 dieną Šaltininkų kaime, Krosnos parapijoje — Dzūkijoje, Suvalkijoje. Pradžios mokyklą lankė Krosnoje, Suvalkų gimnazijoje baigęs 5 klases, 1884 metais įstojo į Kunigų seminariją Seinuose. Į kunigus įšventintas 1889 metais birželio 15 dieną. Kadangi seminarijoje pasireiškė lietuviškumas, tai tais laikais rusų valdomoje Lietuvoje kunigui A. Staniukynui nebuvo leista darbuotis lietuvių parapijose. Buvo paskirtas vikaru lenkiškon Slucz parapijon, į tokias sąlygas, kad neturėjo nė tinkamo buto, gyveno mums neįsivaizduojamam skurde, kur darbavosi pusalkanis tris metus ne tik be jokio atlyginimo,

Kunigas Antanas Staniukynas

o dažnai vargšų prašomas išmaldos. Sekančius šešis metus taip pat vikaru darbavosi Szczepanowo-vis mozūrų krašte. Be rusų valdžios leidimo 1898 metais išvyko į Šveicariją — Fribourgą studijų tikslu ir čia įsiregistravo Augustino Gerulio vardu. Tačiau čia studijavo trumpai, 1899 metais išvyko į Romą teologijos studijoms. Tų pačių metų rudenį išvyko į Jeruzalę, kur savo studijų specialybe pasirinko Šventąjį Raštą. Po dvejų metų studijų čia gavo teologijos daktaro laipsnį ir 1901 metais rugpjūčio 12 d. grįžo atgal Lietuvon. Su daktaro laipsniu, mokantį bent dešimt kalbų ir šiaip plataus išsilavinimo kunigą diecezijos vadovybė norėjo skirti profesorium į kunigų seminariją, tačiau dėl to meto rusų politikos Lietuvoje negalėjo to padaryti. Kunigas dr. A. Staniukynas buvo mėtomas iš vienos parapijos į kitą, kad per trejus metus jam teko pereiti septynias parapijas. Suprasdamas, kad jam nebus leista tarnauti savo tautiečiams Lietuvoje ir žinodamas, kaip trūksta kunigų lietuviams išeiviams Amerikoje, kunigas Antanas Staniukynas 1904 metų vasarą išvyko į Ameriką ir tų metų liepos mėnesio 18 dieną pasiekė New Yorką. Turbūt kurių nors Amerikoje gyvenančių lietuvių kunigų rekomenduotas, už poros savaičių, 1904 m. liepos 31 d. jis buvo priimtas į Harrisburg, Pa. dieceziją ir paskirtas Mount Carmel Šv. Kryžiaus ir Shamokin lietuvių parapijų klebonu. Gi iš Lietuvos kunigas V. Dvaranauskas, Šveicarijoje besimokančios Juditos brolis, parašė 1904 m. gruodžio 27 d. kinigams A. Kaupui ir A. Milukui, kad dabar nėra ko ieškoti kito kunigo, kuris vadovautų lietuvaičių naujos kongregacijos steigimui. Geresnio už kunigą Antaną Staniukyną nebus galima surasti. Naujam krašte, naujoje, nors ir nuošalioje vietoje ir tos apylinkės lietuvių ir Amerikos lietuvių kunigų tarpe kunigas Antanas Staniukynas populiarėjo kaip mokytas, pamaldus, uolus kunigas. O pats kunigas Antanas Staniukynas tuojau suprato reikalą lietuvių vienuolių mokytojų ir savo parapijoje ir kitur Amerikoje. Taigi kunigų Antano Kaupo ir Antano Miluko pareikštoji mintis steigti lietuvaičių vienuolių kongregaciją jam patiko. Nors Kazimieros Kaupaitės asmeniniai nepažinojo, bet sutiko šiai naujai iniciatyvai padėti. Savo laiške 1905 m. balandžio 25 d. — po devynių mėnesių nuo savo atvykimo į Ameriką — jis teigiamai atsakė kunigui A. Kaupui. Nedelsdamas, 1905 metų balandžio 27 dieną, kunigas A. Kaupas parašė apie tai savo sesutei Kazimierai, kad jos planams reikalingas kunigas jau surastas, trumpai apibūdindamas kunigo Antano Staniukyno asmenį. Tik pati Kazimiera žino, kaip ji pergyveno šią žinią, kitiems tai nesuprantama. Dar taip neseniai, prieš pusantro mėnesio brolis kunigas rašė, kad jos planų realizavimu Amerikoje niekas daugiau nesidomi, patarė ir jai tos minties atsisakyti ir vienai stoti į kokį nors vienuolyną. Netrukus ją pasiekė dar džiugesnė žinia. Tų pat 1905 metų birželio 20 dieną jai parašė pats kunigas A. Staniukynas ne tik apie save, kad jis sutinka padėti užmanytos kongregacijos steigimui, bet kad prieš penkias dienas — birželio 15 d. jis jau parašė Harrisburgo diecezijos vyskupui John Walter Shanahan, prašydamas, kad būtų leista tokią kongregaciją pradėti jo diecezijoje. Matomai, vyskupas John Walter Shanahan jau buvo spėjęs pažinti kunigą A. Staniukyną, kad stebėtinai greitai, 1905 m. liepos 2 d. teigiamai atsakė į kunigo A. Staniukyno laišką ir kad jis jau parašė į Romą — Šventajai Vienuolijų kongregacijai, prašydamas leidimo steigti kunigo A. Staniukyno minimą lietuvaičių vienuolių kongregaciją. Viena po kitos sekančios tokios žinios Kazimieros ir protui ir jausmams atvėrė tarsi naują pasaulį. Drąsi ir sunkiai realizuojama jos prisiimta idėja, taip neseniai jau beveik žlugusi, taip nelauktai, staigiai žada tapri tikrove...

Tačiau kartu su tomis džiuginančiomis naujienomis savaime iškilo nauji planai ir nauji rūpesčiai. Svetur pasiruošusios vienuolės negreit tiktų darbui Amerikos parapijose, pirma turėtų susipažinti su gyvenimu, pramokti anglų kalbos. Vyskupas John W. Shanahan parašė Švento Kryžiaus seserų viršininkei į Ingenbohl, kad tos jaunos lietuvaitės, kurios siekia pradėti vienuolių kongregaciją darbui lietuvių tarpe Amerikoje, geriau padarytų, jeigu galutinį pasiruošimą vienuoliniam gyvenimui ir darbui gautų Amerikoje. Švento Kryžiaus seserų viršininkė šiai vyskupo minčiai pritarė. Šią mintį priėmė ir kunigas A. Staniukynas ir kiti tuo besidomį lietuviai kunigai. Amerikoje buvo laukiama, kad Kazimiera atvyks ne viena. Tai naujai pradžiai čia dar nebuvo nė vienos kandidatės. Ingenbohl buvusių Kazimieros dviejų draugių viena — Katarina nusigando taip nelengvos pradžios naujos kongregacijos. Prasidėjus vasaros atostogoms, ji išvyko „trumpam laikui" į tėviškę ir iš ten parašė, kad negrįš nė į Šveicariją, nevyks nė į Ameriką. Liko tik dvi, ir iš tų dviejų Judita Dvaranauskaitė

Harrisburgo, Pa., vyskupas John W. Shanahan

susirgo, buvo paguldyta ligoninėn Zueriche ir operuota. Kol Judita buvo ligoninėje, tas kelias savaites su ja buvo ir Kazimiera, abi kartu svarstė, kaip surasti dar nors vieną draugę. Beslaugant Juditą, gal ne kartą Kazimierą gąsdino mintis, kad ji gali likti tik viena. Tada visos tos pradžiuginę žinios iš Amerikos nieko nepadėtų. Pokalbiuose Judita prisiminė savo giminaitę Antaniną Unguraitytę Pilviškiuose, gimusią Amerikoje, ten lankiusią pradžio mokyklą, kalbančią angliškai, padorią, pamaldžią mergaitę, kurią tėvai parvežė grįždami į Lietuvą, ir ji dabar čia auganti. Kazimiera ir Judita parašė Antaninai laišką, paaiškindamos savo planus ir kviesdamos ją prisidėti. Netrukus Antanina atsakė laišku, kad ji sutinkanti kartu su Kazimiera ir Judita vykti į Ameriką ir su jomis ten pradėti lietuvaičių vienuolių kongregaciją. Laiškais buvo susitarta, kada Antanina atvyks į Šveicariją, ir iš ten visos trys keliaus į Ameriką. Antanina tada buvo tik septyniolikos metų jaunuolė.

Sveikstančią Juditą palikusi ligoninėje, Kazimiera parvyko į Ingenbohl. Vieną dieną vienuolyno vyresnioji parodė Kazimierai Juditos laišką, kad ta mananti vykti nors trumpam laikui Lietuvon, atsisveikinti savuosius. Vyresnioji patarė Kazimierai atkalbėti Juditą nuo tos minties, nes esą labai galima, kad grįžusi į Lietuvą, ji ten ir pasiliks. Kazimiera išvyko į Zuerichą pas Juditą. Atvykusi rado čia jau atvykusią ir Antaniną Unguraitytę. Paaiškėjo, kad kelionės Lietuvon mintis buvo ne tiek pačios Juditos, kiek jos namiškių noras, kurie tai jos kelionei atsiuntė ir pingų. Mergelės nesunkiai susitarė gautus pinigus pasiųsti į garsią Einsiedeln Šv. Marijos šventovę, kad ten už jų planus būtų kalbamas rožančius. Tuo metu Šveicarijoje atostogaująs kunigas J. Čižauskas padėjo nupirkti joms laivakortes ir sutvarkyti kitus formalumus.

Tuo tarpu Amerikoje vyskupas John W. Shanahan per kunigą Antaną Kaupą sutarė su Šv. Marijos Nekaltos Širdies Tarnaičių vienuolių kongregacija Scranton, Pa., kur kunigas A. Kaupas klebonavo, kad tos trys iš Europos, nematytos nė vyskupo John W. Shanahan, nė kunigo Antano Staniukyno, nė šių vienuolių, galės čia atlikti novicijatą ir toliau lavintis vienuolių gyvenimui. Šv. Marijos Nekaltos Širdies kongregacija turėjo Scranton, Pa. ne tik Motinišką Namą, novicijatą, bet kolegiją ir kitas mokyklas. Nors tuose namuose Kazimiera niekad nesilankė, kai prieš kelis metus pas savo brolį šeimininkavo, tai iš to laiko tas vienuolynas jai buvo bent žinomas. Gal ir tų seserų kur nors matytas pavyzdys prisidėjo pažadinti Kazimieros mintį tapti vienuole, apie ką ji tada ne kartą užsiminė broliui.

Trys lietuvaitės parvyko iš Zuericho į Ingenbohl pasiruošti kelionei į Ameriką. Grįžti į Scranton Kazimierai nors šiek tiek buvo panašu, kaip grįžti į įprastą vietą. Ji gyveno ypatinga nuotaika — džiaugsmu, sumišusiu su atsakomybės baime. Jos planai pradėjo realizuotis tokiu greitu ir jos niekad nesvajotu būdu. Ar jie taip gražiai ir išsipildys?

73

KAZIMIEROS ANTROJI
KELIONĖ Į AMERIKĄ

1905 m. spalio 5 dieną Kazimiera ir jos dvi draugės — Judita Dvaranauskaitė ir Antanina Unguraitytė atsisveikino Švento Kryžiaus seseris, Theresianum ir Ingenbohl. Kunigas J. Čižauskas (slapyvardis Trainaitis) palydėjo jas per Baselį į Paryžių. Kunigo vadovaujamos, praleido jos čia kelias dienas, lankydamos Paryžiaus žymiausias vietas, gi spalio 19 d. pasiekė Le Havre uostą. Tos dienos pavakare atsisveikinę jas palydėjusį kunigą, nedideliu laivu išplaukė per La Manch į Britanijos Southhampton. Spalio 20 dienos popiečiu buvo jau „Red Star" laive, kuris netrukus pajudėjo Atlanto link. Kelionė per okeaną buvo be ypatingų prietykių, be audrų. Kazimiera greičiau apsiprato, o jos draugės šešias dienas buvo jūrų ligonės. Po savaitės, spalio 28 dieną laivas pasiekė New Yorką. Uoste jas pasitiko kunigai Žindžius ir Staknevičius — kaimyninių Newark ir Elisabeth lietuvių parapijų klebonai, Kazimierai jau pažįstami. Šią ir sekančią dieną Newark klebonijoje pailsėjo po kelionės, o 30 d. palydėtos į traukinį išvyko į Scrantoną. Čia stotyje rado jų laukiantį kunigą Antaną Kaupą, kuris jas parsivedė į Šv. Juozapo kleboniją, kur prieš kelis metus Kazimiera šeimininkavo. Čia viešnios pailsėjo tris dienas. Dvi naujos ir jautėsi kaip viešnios, o Kazimierai savo savijautą buvo sunku aptarti. Čia šeimininkavus, išvykus nepaisant savo brolio net ašarų, dabar vėl čia, pakeliui į vienuolyną, iš kurio ji turėtų išeiti ne kaip tos vienuolijos narė, o iki tol nesančios, naujos vienuolijos kūrėja. Lapkričio 2 — Vėlinių dieną popiečiu atvyko būrelis kunigo A. Kaupo pakviestų lietuvių kunigų išleisti tris lietuvaites į vienuolyną ne paprastomis ten kandidatėmis, o tikslu pradėti naują, savą vienuoliją, kurio užsimojimo sunkumus jie gerai suprato. Kaip pasakoja pati Kazimiera, svečiai kunigai pietų metu pasakė keletą kalbų. Jie vieni kitus raginę melstis už šias drąsuoles. Mažai nusimanydami apie vienuolinį gyvenimą, kunigai savo kalbose lietuvaičių būsimas dienas novicijate lygino skaistyklai, kurią ištesėti lietuvaitėms nebūsia lengva. Kazimiera sako, kad jai, novicijate jau gyvenusiai, tos kunigų gąsdinančios kalbos taip atrodę, kad ji susivaldžiusi nesijuokti matomai, bet juokėsi savo širdyje. Matydami ramią tų trijų lietuvaičių nuotaiką, patys kalbėtojai gėrėjosi jų ryžtingumu, drąsiu nusiteikimu. Vienas iš kunigų net pasakęs: „Kaip matau, Kaze, tu gali net patekti į Bažnyčios istoriją". O Kazė čia pat atsakė: „Kaip Pilotas į Tikėjimo Išpažinimą". Kaip Kazimiera sako, jai buvę aišku, kad ji yra tik įrankis Dievo rankoje, ji pati beveik nieko nedaranti, jos užmojimus įgyvendinti iki šiol kiti padarė daugiau, negu ji pati.

MARIJOS NEKALTOS ŠIRDIES TARNAIČIŲ VIENUOLYNE, SCRANTON, PA.

Tą pačią lapkričio 2 d., po minimų pietų su kunigais, pavakare kunigas A. Kaupas palydėjo tris „mažytes", kaip jis jas vadino (visos trys buvo neaukšto ūgio), į vienuolyną — Mount St. Mary seminariją — taip vadinosi tas Šv. Marijos Nekaltos Širdies Tarnaičių vienuolynas. Visos seserys, o ypač jų vyriausioji — Motina Cyrilė sutiko ir priėmė tris viešnias visu nuoširdumu. Kunigui A. Kaupui jas čia atsisveikinant, Motina Cyrilė jam priminė, kad šias tris naujokes jis dažnai atlankytų.

Kelias dienas šios trys naujokės buvo traktuojamos kaip viešnios, supažindintos su vienuolynu ir jo įstaigomis. Kazimierai ir Antaninai jau iš pat pirmų dienų buvo žymiai lengviau negu nuvykus į Ingenbohl, kur nuvyko nemokėdamos vokiečių kalbos. Josdvi jau kalbėjo angliškai. Tik Juditai ir čia teko pradėti iš nieko, bet ji iš pirmos dienos ėmėsi mokytis kalbos visu savo sugebėjimu. Visos trys prašė Motinos Cyrilės priimti jas kuo greičiausiai į novicijatą.

Po kelių dienų atlankė jas kunigas A. Kaupas. Visos trys nuoširdžiai jam sakėsi, kad jų pirmieji įspūdžiai Mount St. Mary esą labai geri, kad visos trys jaučiasi labai patenkintos. Jos prašė kunigą A. Kaupą, kad jas atlankytų kartą savaitėje tikslu pamokyti jas lietuvių kalbos gramatikos ir bendrai daugiau lietuvių kalbos. Jos gi ruošis, tapę vienuolėmis, eiti į lietuvių parapijų mokyklas, o gi tas laikas jau ne taip toli — už metų ar dviejų. Kunigas A. Kaupas tai pažadėjo ir savo pažadą tesėjo.

SUSITIKIMAS SU KUNIGU ANTANU STANIUKYNU IR TOLESNĖ JO VEIKLA

Neilgai trukus po jų atvykimo į Scranton, Pa., šios trys „mažytės" turėjo reikšmingą įvykį ir ypatingą išgyvenimą. Vieną dieną atvyko į vienuolyną kunigas A. Kaupas kartu su kunigu Antanu Staniukynu, su tuo, kurio jos ir jis jų dar nebuvo matę, o kurių tikslui kunigas Antanas Staniukynas buvo jau pasižadėjęs ir pasiryžęs aukotis. Apie Kazimierą kunigas A. Staniukynas buvo girdėjęs iš jos brolio ir kunigo Antano Miluko. Juditos du brolius kunigus jis pažinojo Lietuvoje, trečioji atrodė tinkanti prie šių dviejų. Pokalbis buvęs ilgokas, trys jau novicijos lietuvaitės likę begalinai patenkintos. Kunigas davė visoms trims po rožančių, parvežtą iš Jeruzalės, pažadėjo jas dažniau atlankyti ir rūpintis jų reikalais. Vienuolyno išlaidas už jų čia gyvenimo vienus metus pažadėjo atlyginti Harrisburgo vyskupas John W. Shanahan. Pagrindinis reikalas ir rūpestis buvo namas — vienuolynas, kur gyvens šios trys lietuvaitės, padariusios vienuolių įžadus, ir toliau vystys savo veiklą. Kunigas A. Staniukynas ieškos arba nupirkti tinkamą namą tinkamoje vietoje, arba pastatys naują. Pirmą kartą sutiktos šios trys lietuvaitės, matomai, kunigui A. Staniukynui padarė teigiamo įspūdžio, kad nuo dabar savo atliekamą laiką nuo parapijos reikalų jis visą skyrė būsimos lietuvaičių vienuolių kongregacijos reikalams. Jis keliavo iš miesto į miestą, lankė lietuvius kunigus, pasauliečius, rinkdamas aukas būsimam lietuvaičių vienuolynui. Kai surasdavo kunigą, kuris jį pavaduotų parapijoje, negrįždavo ir ilgesnį laiką. Taip 1906.V — 1907.II pavadavo kunigas M. Pankauskas, 1907 m. kelis mėnesius kunigas V. Aleksandravičius. Kunigas A. Staniukynas ne tik pinigus rinko, o ieškojo naujai vienuolijai kandidačių. Nors ir lietuviai kunigai pakalbindavo savo parapijų lietuvaites mergaites, bet daugiausia kunigo A. Staniukyno pastangų pasėkoje 1909 metų pabaigoje šiame vienuolyne, Scranton, Pa. buvo jau 14 lietuvaičių mergaičių — kandidačių naujai vienuolijai. Kazimiera ir jos draugės vienuolyne, Scranton, Pa., kone kasdien gaudavo iš kunigo A. Staniukyno kada laišką, kada atvirutę, vis su kokia nors gera žinia: kas ką gero pasakė apie jų naują užsimojimą, kur sutiko mergaitę, besidominčią naujos vienuolijos žinia, kiek gavo aukų būsimam vienuolynui. Kunigas A. Staniukynas šiuose savo laiškuose niekad neužsimindavo apie nuovargį, patiriamus nemalonumus. O nemalonumų teko patirti ir iš lietuvių tarpo. Tada buvo bene didžiausio antagonizmo laikai Amerikos lietuviuose tarpe tikinčių ir netikinčių, kai vieni stengėsi organizuoti savas parapijas, mokyklas, statyti bažnyčias, o kiti visokiais būdais prieš tai kovojo. Kazimiera žinojo tai iš savos patirties, gal ne kartą vaizdavosi ir kunigą A. Staniukyną to antagonizmo auka, bet pats kunigas A. Staniykynas savo laiškuose šioms trims lietuvaitėms apie tai nerašė.

Motina Cyrilė (su Gedimino ordinu),
Scrantono M. N. Š. Vienuolijos vyresnioji

Kunigo A. Staniukyno asmenį, jo pasišventimą
būsimai lietuvaičių vienuolių kongregacijai vaizdžiai
mini prof. dr. A. Kučas knygoje „Kun. Antanas
Staniukynas". Buvo faktų, kurių nėra paminėtų Šv.
Kazimiero seserų kongregacijos archyvų medžiagoje.
Vieną iš tokių papasakojo preletas Jurgis Paškaus-
kas, Šv. Marijos Gimimo parapijos klebonas, Chica-
goje, Marquette Parke. Jau senokai po kunigo A.
Staniukyno mirties, vieną žiemą dažnai daug prisnig-
davo. Klebonas pastebėjo, kad kiekvieną tokį rytą,
kada būdavo daug sniego, vienas jo parapijietis valo
sniegą nuo takų į bažnyčią, į mokyklą, net į klebo-

niją. Po vieno kito tokio ryto klebonas priėjo kartą prie ano vyro ir jam sako:

— Aš matau tavo pasišventimą ir tai labai įvertinu. Prašau priimti šiuos kelis dolerius kaip mano dėkingumo ženklą.

— Tėveli, atsakė jam parapijietis, paliki mane ramybėje. Kad tu mane suprastum, kai ką tau papasakosiu. Atsimeni, kaip a.a. kunigas A. Staniukynas vaikščiodavo nuo durų prie durų, elgetaudamas vienuolynui? Vieną pavakarę, man grįžus iš darbo, jis pasibeldė ir į mano duris. Aš, pradaręs duris, neįleidęs jo į vidų, beveik su panieka padaviau jam kvoterį (25 c.) ir uždariau duris. Kunigas nusilenkdamas padėkojo ir nuėjo toliau. Aš, pažvelgęs pro langą į tą mokytą, vargšą kunigą, elgetaujantį ne sau, o mūsų visų labui, pats savęs taip išsigandau, kad to vaizdo ir mano pasielgimo negaliu užmiršti iki šiai dienai. Tėveli, ir šį sniegą kasu, kad kaip nors atsiteisčiau už tą mano pasielgimą. Taigi, tėveli, nedrauski man čia pasitarnauti ir paliki mane ramybėje. Buvo visai ne retas atvejis, kad kunigas A. Staniukynas ne tik negaudavo nė kvoterio, o išgirsdavo pajuokos ar net įžeidžiantį žodį. Kazimierai ir jos dviem draugėm esant dar Scrantone, jau pradėjo atsiliepti viena po kitos jaunos lietuvaitės, norinčios jungtis į gimstančią lietuvaičių vienuoliją, siūlėsi atvykti į Scrantoną mokytis ir kartu ruoštis tapti vienuolėmis. Lietuviai tada buvo dar neturtingi. Ir kunigas A. Staniukynas ne iš vieno gavo tik kvoterį. Tuo labiau, ne daug buvo tokių, kurie būtų galėję užmokėti savo dukrelės mokslo ir gyvenimo išlaidas vienuolyne. O kas nors turėjo jas užmokėti. Visus šiuos reikalus ir rūpesčius prisiėmė kunigas A. Staniukynas.

Po trijų mėnesių Kazimieros ir jos dviejų draugių novicijato Scrantone, Šv. Marijos Nekaltos Širdies

Tarnaičių vienuolyne, nežinia, ar kieno nors paveiktas, ar reikšdamas tik savo mintį ir nuotaiką, vyskupas John W. Shanahan 1906 m. vasario 11 d. parašė kunigui A. Kaupui ilgoką laišką, kuriame sakosi nematąs galimybės, kad tos trys paparastos lietuvaitės sukurtų naują vienuoliją. Tokiam žygiui reikalingi šventi ir daugiau išsilavinę asmenys. Jis pataria kunigui A. Kaupui perkalbėti savo seserį, kad jeigu ji norinti būti vienuole, testoja į kurią nors jau esančią vienuoliją. O vyskupas buvo pažadėjęs vienuolynui atlyginti tik vienų metų išlaidas už tų trijų lietuvaičių gyvenimą ir mokymąsi vienuolyne. Kaip Kazimiera sako, vieną dieną atėjo jos brolis visas išbalęs ir nerandąs iš ko pradėti su ja kalbą. Padavė Kazimierai vyskupo laišką. Ši paskaitė. — Ką dabar darysime? — klausia brolis kunigas.

Kazimiera paprašė palikti tą laišką jai, o ji pasitarsianti su Motina Cyrile. Žinoma, to laiško turinį Kazimiera pergyveno dar jautriau, negu jos brolis, čia gi jos pačios asmens ir jos planų klausimas. Radusi progą, Kazimiera perdavė vyskupo laišką Motinai Cyrilei. Ši paskaitė ir, nieko nesakiusi, atidavė atgal Kazimierai. Neilgai trukus, Motina Cyrilė pasikvietė Kazimierą ir smulkiai išklausinėjo jos gyvenimą, ką ji veikė, ko mokėsi Šveicarijoje. Buvo aišku, kad Šveicarijoje nebuvo laiko jį beprasmiai gaišinti. Kazimiera prašė Motiną Cyrilę ir patarimo ir leidimo parašyti broliui ilgesnį laišką ir jį paprašyti užtarimo pas vyskupą Shanahan, kad šis jų neapleistų. Motinai Cyrilei pritarus, Kazimiera parašė broliui kunigui ilgą laišką apie savo planus, kas tuo tikslu jau padaryta, kad, būdamos kitataučių vienuolyne, jos neduos lietuviams to, ko jie reikalingi, nes kiti lietuvių reikalų nesupranta. Kai jau tiek nueita, kai liko jau tiek nedaug laiko iki vienuolinių įžadų, jeigu dabar mestų

tai, kam jau tiek aukotasi, ji negalėtų niekad sau to
atleisti. Berašydama šį laišką, Kazimiera užsidegė dar
didesniu ryžtu siekti užsibrėžto tikslo. Tai ji palaikė
ne kokiu nors savo užsispyrimu, o Dievo duotu jaus-
mu. Savo mintimis ir pergyvenimu pasidalino ir su
novicijų mokytoja. Ta Kazimierą suramino ir padrąsi-
no, kad nėra ko nusigąsti. Jeigu Harrisburgo vysku-
pas atsisakytų toliau jas globoti, tai Scrantono vysku-
pas M. Hoban esąs daug nuolaidesnis, tas sutiktų jas
globoti. Tačiau Kazimierai tai nebuvo didelė paguo-
da. Iš Harrisburgo vyskupo John W. Shanahan buvo
patirta jau per daug gero, kad būtų galima lengvai jo
atsižadėti. Kazimieros žodžiais, jai geriau patinka
asmuo, kuris reikalą svarsto visapusiškai, jo teigia-
mas ir neigiamas puses. Ji visiškai nesistebėjo tokia
pesimistiška vyskupo John W. Shanahan mintimi.
Jai pačiai buvo aišku, kiek jos trys vienos paliktos
būtų vertos ir ką nuveiktų, ko pasiektų. Tačiau jos
užsimojimas yra Dievo reikalai lietuvių tarpe. Jeigu
Dievui tai patiks, jis ras kelius viską pakreipti
teigiama prasme. Kazimiera pasiliko tik prie maldos.

Dieną kitą pasikalbėjus tuo klausimu su abiem
savo draugėm, su viena kita seserim vienuole, viskas
aprimo. Vieną dieną vienuolyne žinia, kad atvyksta
Harrisburgo vyskupas John W. Shanahan. Visom
buvo aišku, kad jis atvyksta ne pas to vienuolyno
seseris, nes jos buvo ne jo jurisdikcijoje ir čia jis
nesilankydavo. Visoms vienuolėms nepaprasta
naujiena, o trims lietuvaitėms sudrebėjo širdys. Kaip
Kazimiera sako, čia pat jai kilo mintis ir nė minutei
neapleido, kad tas vyskupo atsilankymas lietu-
vaitėms bus sprendimo valanda. Vyskupas pakartos,
ką rašė kunigui A. Kaupui ir joms pasiūlys, jeigu jos
nori būti vienuolėmis, stoti į šią pačią Marijos Nekal-
tos Širdies Tarnaičių vienuoliją, ar pasirinkti kurią

kitą. Vyskupas atvyko. Lietuvaitės laukė iš minutės į minutę, kada jas pašauks išklausyti sprendimo, ir vis nešaukė. Novicijų rekreacijos metu, visoms novicijoms esant rekreacijos kambaryje, įeina lauktas svečias vyskupas John W. Shanahan, Scrantono vyskupas M. Hoban ir Motina Cyrilė. Visos novicijos viena po kitos ėjo pabučiuoti vyskupams žiedus. Atėjus lietuvaičių eilei, jos priėjo beveik drebėdamos. Motina Cyrilė pasakė, kad tai tos trys lietuvaitės, apie kurias buvo kalbėtasi, kurių vyskupas dar nebuvo niekad matęs. Čia pat Scranton vyskupas M. Hoban sako svečiui vyskupui John W. Shanahan:

— Žinai ką? Šių jaunuolių mes jums neduosime. Jos yra su mumis ir tegul su mumis pasilieka.

Kazimiera tiesiog apmirė. Vyskupas John W. Shanahan atsakė vyskupui M. Hoban:

— Tačiau jų negausite. Jos jau yra mano ir man labai reikalingos.

Lietuvaitės tiesiog nesusivokė, ką manyti. To momento savijautos jos nebūtų sugebėję išreikšti jokiais žodžiais, nebent būtų išsiverkę iš džiaugsmo. Tačiau pajėgė susilaikyti. Jos nieko nesusivokė, kas pakeitė vyskupo John W. Shanahan nuomonę. Tik po kiek laiko sužinojo iš savo brolio kunigo, kad jis, kunigas A. Milukas ir kunigas A. Staniukynas parašė vyskupui ilgą laišką, kad idėja per šias tris lietuvaites pradėti naują vienuolių kongregaciją pavyks, kad iš to viesiems bus kuo pasidžiaugti. Iš laiškų, esančių Šv. Kazimiero Seserų archyve, žinome, kad į vyskupo John W. Shanahan abejones, kurias jis pareiškė ir Motinai Cyrilei, ir Motina Cyrilė parašė jam tuo klausimu net aštroką laišką, patardama pasitikėti ir šiomis trimis lietuvaitėmis, ir jas remiančiais kunigais, ir bendrai lietuviais.

Netrukus po šio atsilankymo Mount St. Mary

vienuolyne, Scranton, Pa., vyskupas John W. Shanahan parašė kunigui A. Staniukynui laišką, kad jis imtųsi įmanomai greičiau paruošti projektuojamos kongregacijos konstitucijų projektą ir paruoštą atsiųstų jam. Šio jam pavesto uždavinio kunigas A. Staniukynas neatidėliojo, nes tai buvo ir jo širdies reikalas. Būdamas ne vienuolis, o diecezinis kunigas, A. Staniukynas neturėjo kokios nors idėjos skirtingos nuo jau veikiančių vienuolijų. Jis susirinko daugelio vienuolijų konstitucijas, jas skaitė, svarstė ir bandė sukurti ką nors tinkančio lietuvaitėms. Apie šį savo darbą jis gana dažnai rašo anoms trims lietuvaitėms į Scrantoną, informuodamas apie vykstantį darbą ir įvairiais klausimais patirdamas jų nuomones. Jo ruošiamam projektui pagrindu buvo Ingenbohl Švento Kryžiaus ir Scrantono Marijos Nekaltos Širdies Tarnaičių vienuolijų konstitucijos, su kuriomis lietuvaitės buvo jau apsipratę. Kartu svarstytas ir vardas būsimos kongregacijos. Dar esant Kazimierai Ingenbohl, jos brolis kunigas A. Kaupas laiškuose jau užsimindavo, kad kunigai savo tarpe pasvarstą, kokį vardą reiktų duoti naujai lietuvaičių kongregacijai ir kad jis manąs pavadinti ją Švento Kazimiero vardu. Kazimiera pradžioje tam vardui nepritarė ne iš stokos pagarbos šventam Kazimierui — Lietuvos ir savo globėjui, o todėl, kad jos pačios vardas buvo Kazimiera ir jai buvo labai ne prie širdies, kad kam nors galėtų atrodyti, jog čia paisyta jos vardo. Kun. A. Staniukynas buvo linkęs į kokį nors Marijos vardo titulą, pvz. Mariavitės. Tačiau dėl kaikurių įvykių su šiuo vardu Lenkijoje (tuo vardu pasivadinęs sąjūdis buvo P. Pijaus X pasmerktas), šis vardas atpuolė. Galutinai, pasikeitus visokiomis mintimis, vyskupo John W. Shanahan sprendimu sustota prie Švento Kazimiero Seserų Kongregacijos vardo. 1907 m. sausio 23 d.

vyskupas John W. Shanahan parašė į Romą, Tikė-
jimo Platinimo kongregacijai (tada Amerika buvo dar
šios kongregacijos jurisdikcijoje kaip misijų šalis)
motyvuotą prašymą, kad būtų leista steigti naują
lietuvaičių vienuolių kongregaciją Švento Kazimiero
Seserų kongregacijos vardu, kurios pirminis tikslas
būtų mokytojauti parapijų mokyklose.

LEIDŽIAMA STEIGTI ŠVENTO KAZIMIERO SESERŲ KONGREGACIJA

1907 m. balandžio 6 d. data vyskupą John W. Shanahan pasiekė gegužės mėn. teigiamas Romos atsakymas, kad leidžiama steigti prašoma kongregacija, kurios konstitucijas patvirtinti privalo vyskupas ir kad ta nauja kongregacija pasiliks jo jurisdikcijoje. Visi iki šiol minėti formalumai, vyskupo vaidmuo nebuvo kokie nors išimtini ypatingi žygiai ir įvykiai, o tik bendri anų metų ir iki mūsų laikų esą reikalavimai. Iš Romos gautą teigiamą atsakymą vyskupas John W. Shanahan tuoj pranešė kunigui A. Staniukynui, o šis — Kazimierai. Buvo kuo džiaugtis. Visi formalūs reikalavimai laimingai atlikti. Lieka tačiau dar svarbiausias ir sunkiausias dalykas — visa tai įgyvendinti. Trys lietuvaitės tęsė pasiruošimą novicijate, nė viena nesvyruodama, pasiryžusios priimti visokį pasišventimą, kokio pareikalautų jų tikslo įgyvendinimas. Jų būsimai kongregacijai vardas jau parinktas, leidimas iš Romos gautas, konstitucija baigiama paruošti. Dar reikia pasiruošti uniformą, kuri kuo nors skirtųsi nuo kitų kongregacijų

87

dėvimų uniformų. Lietuviai kunigai Šveicarijoje buvo pareiškę nuomonę, kad nereikalinga jokia uniforma, pakanka padoraus, praktiško, vadinamo pasaulietiško rūbo. Kazimierai tokia mintis nebuvo sava, nes ji Amerikoje, Šveicarijoje matė tik uniformuotas vienuoles. Gi Lietuvos kunigai buvo apsipratę su ta mintimi, nes Rusijos valdomoje Lietuvoje, kur buvo uždraustos ir sunaikintos vienuolijos, kunigai žinojo, ko nežinojo net katalikų visuomenė, kad Lietuvoje buvo slaptų seserų vienuolių, kurios nedėvėjo jokios uniformos. Svarstant tą klausimą, Amerikoje buvo visokių nuomonių. Čia nė lietuviai kunigai nekalbėjo apie pasaulietišką rūbą — tada Amerikoje tai nebuvo priimta. Buvo siūlymų, kuriems pradžioje pritarė ir kunigas A. Staniukynas, dėvėti baltą rūbą su mėlynos spalvos plačiu vadinamu škaplieriu — per galvą užmaunama plačia juosta, nusileidžiančia bent iki kelių iš priešakio ir iš užpakalio, panašiai, kaip dėvi kai kurie vyrai vienuoliai, kai kurios vienuolės. Kazimiera pageidavo kokio nors ženklo, primenančio Mariją, bet nepritarė baltam rūbui, nepraktiškam mokykloje ar kitokiame darbe. Galutinai buvo priimtas apdaras, kurį Šv. Kazimiero Seserų Kongregacijos vienuolės dėvėjo iki reformų, sekusių po Vatikano II susirinkimo.

1907 m. liepos mėnesyje lietuvaitės gavo nuorašą vyskupo J. W. Shanahan patvirtintų konstitucijų. Visos trys atidžiai perskaitė. Jose nebuvo nieko, ko Kazimiera būtų dar anksčiau neskaičiusi, nemačiusi ar nepatyrusi Ingenbohl ir dabar Scrantone, vienuolyne. Kai kunigas A. Staniukynas ruošė šias konstitucijas, Kazimiera būdavo supažindinama su visa medžiaga. Dabar jau patvirtintose konstitucijose du dalykai Kazimierai tačiau nepatiko. Vienas, kad seserims neleidžiama rūpintis ir tvarkyti bažnyčios altorių. Iš savo patirties, kai ji šeimininkavo pas savo brolį kunigą Scrantone, Šv. Juosapo parapijoje, ji žinojo, kad nebus lengva to išvengti. Matomai, kunigas A. Staniukynas bus tai išrašęs iš Scrantoniškių Marijos Nekaltos Širdies tarnaičių konstitucijų. Antras dalykas, nepatikęs Kazimierai, tai kad bendros seserų maldos bus kalbamos angliškai. Kazimiera nepajėgė to nutylėti. Savo nepasitenkinimą ji pasisakė Motinai Cyrilei. Ši tačiau ją beveik subarė, kad ji kritikuojanti vyskupo patvirtintas konstitucijas. Kaip Kazimiera sakosi, šiuo atveju ji pajutusi, kad gali būti atvejų, kad būti klusniu nėra jau taip lengva. Nors Dievo vardu save raminusi, kad reikia klausyti vyresniųjų, bet ir širdis ir protas nedavė jai ramybės, anot jos žodžių, kad buvę sunku net melstis. Galutinai ji susiraminusi mintimi, kad Dievas iki šiol padėjęs viską sėkmingai rišti, jeigu jam tai patiks, kaip nors išriš ir šiuos klausimus, ir paliko tai ateičiai. Kaip vėliau matysime, Dievas išklausė Kazimieros ir šiame dalyke.

FORMALUS VIENUOLIJOS ĮSTEIGIMAS
PIRMIEJI VIENUOLIŲ ĮŽADAI

Kazimieros gyvenime didžiausia svajonė ir užmojis štai virsta jau tikra realybe. 1907 m. rugpiūčio 25 d., pirmadienį, kunigas A. Staniukynas, atvykęs į Mount St. Mary vienuolyną Scrantone, parodė Motinai Cyrilei ir lietuvaitėms vyskupo John W. Shanahan laišką, kuriuo jis pats, kunigas A. Kaupas ir per kunigą A. Staniukyną kiti lietuviai kunigai kviečiami į Scranton, Mount St. Mary vienuolyną penktadienį, rugpiūčio 29 d., dalyvauti formaliai įsteigiant Šv. Kazimiero Seserų Kongregaciją. Pats vyskupas atliks to akto apeigas, kunigas A. Kaupas kviečiamas ta proga laikyti šv. Mišias. Vienuolyne kilo beveik sumišimas. Trys novicijos lietuvaitės dar neturėjo nė ano susiprojektuoto rūbo, pačios negalės jo pasisiūti, nes ryt ryte — antradienį jos trys turi pradėti trijų dienų rekolekcijas, kurioms vadovaus novicijų mokytoja sesuo M. Pija. Rūbus pasiūti tačiau pasiėmė sesuo M. Salomė. Lietuvaitės jautėsi beveik panašiai, kaip pernai gavę žinią, kad į vienuolyną atvyksta vyskupas John W. Shanahan ir nežinia, kokią ištarmę joms atveža. Šį kartą jų jautrus, gilus išgyvenimas buvo tik priešingo turinio — štai, jau tik už trijų dienų jos darys seniai svajotus vienuolinius įžadus naujoje savoje kongregacijoje. Tiek kartų atrodęs jau neįmanomu, jų užmojis dabar tampa tikrove. Dabar jau liks tik stengtis vykdyti tą svajonę gyvenime. Visos trys tarėsi, kokius vardus pasirinks vienuolinių įžadų proga. Tada daugelyje vienuolijų buvo priimta, kad pirmųjų vienuolinių įžadų proga prie krikšto vardo būdavo pasirenkamas dar ir kitas vardas. Pačios neapsisprendė, tad Kazimiera prašė Motiną Cyrilę parinkti joms vardus. Ta tačiau atsakė, kad vardus pasirinkti turinčios jos pačios. Kazimiera tuo taip persiėmė, kad daug meldėsi į šv. Kazimierą, prašydama jo pagalbos. Kaip ji rašo, vieną naktį ji sapnavusi, kad pirmos trys seserys turėtų vadintis Marijos Nakaltai Pradėtos vardu.

Ketvirtadienį — dieną prieš šventę trys novicijos pabandė joms jau pasiūtus vienuoliškus rūbus, vadovaujamos savo mokytojos, padarė koplyčioje rytdienos apeigų repeticiją. Vakare Motina Cyrilė nuvedė jas tris pas atvykusį vyskupą John W. Shanahan, supažindino vyskupą jų krikšto vardais ir išėjo. Judita ir Antanina, mažiau moką angliškai, daugiau tylėjo, teko kalbėti Kazimierai. Vyskupas paaiškinęs, kad jis ne vienuolis, kad patvirtintose konstitucijose gali būti kas nors ir nepraktiško, bet ateityje būsią galima įvesti pataisų, padaryti pakeitimų. Kazimierai tuoj šovusi mintis, taigi bus galima maldose anglų kalbą pakeisti lietuvių kalba, bet šį kartą ji susilaikė to nepasakiusi. Vyskupas dabar joms atrodė visai ne toks, kokį jos vaizdavosi iš to, ką buvo apie jį girdėjusios — kad esąs griežtas, karštokas. Šį kartą su jomis jis buvo tikrai tėviškas. Kazimiera paprašė vyskupą parinkti joms vardus.

— Taigi bus Švento Kazimiero Seserų Kongregacija, — atsakė vyskupas.

Tačiau Kazimiera paaiškino prašanti vardų kiekvienai iš jų, kadangi įžadų metu jos turėtų gauti kitą vardą prie krikšto vardo. Vyskupas atsakęs panašiai, kaip Motina Cyrilė, kad jos pačios turinčios pasirinkti vardą kiekviena sau. Tada Kazimiera papasakojo vyskupui savo sapną ir paklausė, ar būtų galima priimti šiuos sapne girdėtus vardus: viena vadintųsi Marija, kita — Immaculata ir trečia — Concepta.

— Tai puiki kombinacija, — beveik nustebęs atsakė vyskupas. — Jūs čia ruošėtės Narijos Nekaltos Širdies vienuolyne, tad visai tiks, kad ir savo profesijos vardais tai prisiminsite.

Kaip sėdėjo eilėje Kazimiera Kaupaitė, Judita Dvaranauskaitė ir Antanina Unguraitytė, taip vyskupas iš eilės ir pavadino: Kazimiera vadinsis

Trys pirmosios kazimierietės po pirmųjų įžadų (iš kairės dešinėn): Sesuo Concepta (Unguraitytė), Sesuo Marija (Kaupaitė), Sesuo Immaculata (Dvaranauskaitė)

Marija, Judita — Immaculata, Antanina — Concepta. Po šio pasikalbėjimo jos grįžo pas kitas novicijas, su kuriomis buvo ir seserų būrelis, pasipasakojo visą pokalbį, kad jos jau turinčios naujus vardus. Tačiau išėjęs į koridorių, vyskupas pamojo jas tris ateiti atgal. Atėjusios rado kambaryje stovinčius vyskupą M. Hoban ir Motiną Cyrilę, kuriuos vyskupas John W. Shanahan supažindino su šių trijų naujais vardais. Visi atrodė patenkinti. Ta proga vyskupas M. Hoban pasakė tuos žodžius, kuriuos bent vadinamieji senesnieji lietuviai kunigai pakartodavo iki šiol: „Kas žino, o gal ši trejukė nutildys visus šliupininkus ir dembskininkus". Visi šie atrodą mažareikšmiai momentai trims jaunoms novicijoms buvo tokie išgyvenimai, kurių jos niekad neužmiršo, kad viskas vyksta taip viršijančiai jų gražiausius įsivaizdavimus, kad joms menkoms jaunuolėms parodoma tiek dėmesio.

Vyskupas John W. Shanahan čia pat pasakė vyskupui M. Hoban, kad šios trys lietuvaitės rytoj gaus savus naujus vienuolių rūbus, juodą velioną ir padarys pirmuosius vienuolinius įžadus. Vyskupas M. Hoban pradėjo svečią rimtai prašyti tvarką kaip nors pakeisti. Jis norįs būtinai dalyvauti jų įžadų apeigose, o rytoj jis turįs dalyvauti vieno kunigo laidotuvėse. Nors vysk. John W. Shanahan visaip teisinosi negalįs taip ilgai pasilikti Scrantone, bet vyskupas M. Hoban nenusileido ir įtikinėjo, kad rytoj, rugpiūčio 29 d. — Švento Jono Krikštytojo galvos nukirtimo paminėjime trys novicijos gaus vienuolės rūbus, bus atliktos kitos antraeilės apeigos, o rugpiūčio 30 d. — Šv. Rozos Limanietės — Amerikų pirmosios šventosios dieną padarys pirmuosius vienuolinius įžadus. Galutinai vyskupas svečias sutiko.

Tą rugpiūčio 30 d. vienuolinius įžadus darė tik jos trys lietuvaitės. Vienuolės išpuošė savo koplyčią, kaip sugebėjo, dalyvavo nemažas skaičius lietuvių kunigų. Anot Kazimieros, nors toje pačioje koplyčioje, kur jos kasdien melsdavosi, viskas atrodė kitaip. Kai jos trys parpuolė veidu ant grindų prieš altorių, kai buvo giedamos ir kalbamos maldos, atrodė, kad dabar baigiasi šis žemiškas gyvenimas, kad jos paimamos viso dangaus ir ypač šv. Kazimiero globon ir vadovybėn. Šią valandą negąsdino jų niekas, ką teks patirti ateityje, jos buvo tiesiog apsvaigę džiaugsmu, kad jų svajonė ir ruošimasis pradėti lietuvaičių vienuoliją jau tapo tikrove. Žmonių kalboje nesą tokių žodžių, kuriais būtų įmanoma išreikšti tai, ką jos dabar išgyveno. Po šventų Mišių ir visų apeigų išėjus iš koplyčios, abu vyskupai, susirinkusieji kunigai, vienuolyno seserys — visi jas sveikino, tačiau jos gyveno tokia nuotaika, kad po to momento, už valandos — kitos, jeigu nebūtų vėl susitikę vienuolyne, vargiai būtų atsiminę, kurie pažįstami kunigai dalyvavo tą dieną jų šventėje ir jas sveikino. Sesuo Marija, kaip Kazimierą nuo dabar vadinsime, sako, kad jai buvę ne tik nedrąsu, o net nemalonu, kai po pasveikinimo vyskupas John W. Shanahan sakęs lietuviams kunigams, kad čia esančios trys jaunos didvyrės, įvykdę tai, ko iki šiol nė vienas iš jų, nė jis pats nepadarė. Sesuo Marija ne tik suprato, o patyrė, kad be kitų pagalbos nebūtų įvykę tai, kas šiandien įvyko: jeigu ne kunigų jai pasiūlyta idėja, jeigu ne kunigas A. Staniukynas, vysk. John W. Shanahan ir jų padaryti žygiai. Visa ši diena buvo tokios ekstazės diena, kad trys naujos vienuolės ir nemokėjo ir nebandė kaip nors tai išreikšti. Tai buvo savotiško triumfo, laimės diena, ko negali suprasti to patys neišgyvenę. Ramybė ir tyla yra geriausia tokios savijautos išraiška.

Arrangement

A - HD	Mezzanine
HE - QE	Second floor
QH - Z	Main floor

Directory

Library Hours	(610) 660 -1901
Circulation	-1900
Reference	-1904
Interlibrary Loan	-1907
Acquisitions	-1912
Periodicals	-1911
Library Instruction	-1904
Instructional Media Center (IMC)	-1770
Library Office/Director	-1905

Francis A. Drexel Library

SAINT JOSEPH'S UNIVERSITY

GENERAL INFORMATION

Hours

Monday - Thursday	8:30 a.m. - Midnight
Friday	8:30 a.m. - 9:00 p.m.
Saturday	10:00 a.m.- 6:00 p.m.
Sunday	Noon - Midnight

Summer and holiday hours will vary. Please check with the Library during these times. Archives/Special Collections are open by appointment only.

Collections 325,000 books; 1,800 current periodical subscriptions; 727,000 microforms;

NAUJOS VIENUOLĖS

Nuo šiandien prasidės ateitis, jau nepanaši į iki šiol gyventą laiką. Nuo šiandien jos išeina į gyvenimą, nežinodamos ne tik kelio į savo gyvenimo ir darbo vietą — į savo vienuolyną, o tokio jos dar net neturėjo. Savo jos neturėj absoliučiai nieko, net ir vienuolės rūbas joms buvo padovanotas tų vienuolių, pas kurias gyvendamos ruošėsi šiai dienai — vienuolių įžadams. Jos žinojo, kad atsilyginti vienuolynui, surasti joms gyvenamą vietą rūpinasi kun. A. Staniukynas, bet ko jis yra pasiekęs, jos nežinojo. Ir nebuvo ko žinoti, nes tada ir kun. A. Staniukynas ruošė joms dar ne savą židinį, o gyvenimo ir darbo vietą savo parapijos namuose. Jos daug kartų girdėjo priminimus, kad būsimam jų kelyje bus daug kryžių, kryželių. Tačiau sesuo Marija nuo pat savo užsimojimo pradžios gyveno persiėmusi tuo įsitikinimu, kad savo planus Dievas vykdo per žmones, kaip savo įrankius. Ir dabar jos trys, neturėdamos visiškai jokių medžiaginių gėrybių gyvenimo pradžiai, pasitikėjo Dievu, kad jis jas globos ir laimins kaip savo planų įrankius.

Jos tik džiaugėsi, kad nuo dabar pradės veikti, dirbti jo garbei kiek sugebės, kaip iš jų bus pareikalauta, savų žmonių — lietuvių gėriui. Jos tik jautė dar didesnės meilės ir atsidavimo Dievui ir laukė valandos, kada ir kokios aukos iš jų Dievas pareikalaus. Laukė, nes būdamos dar tik laikinų įžadų, jos negalėjo pačios šių klausimų spręsti, o turėjo pasikliauti vysk. John W. Shanahan betarpiai ar per kitus joms pareikštai valiai. Jos dar visos trys buvo lygiateisės, iš jų nė viena nebuvo vyresnioji kitoms. Nuo šios dienos ateitis parodys, kiek jų nuotaikos — visiškas pasitikėjimas Dievu turėjo realaus pagrindo.

MISIJOS KUKLI PRADŽIA

Novicijate, Scrantone, šios trys lietuvaitės išbuvo 22 mėnesius. Po įžadų dar pasiliko ten mėnesį ir 6 dienas. 1907 m. spalio 7 d. atvyko į Mount St. Mary vienuolyną Scranton vyskupas M. Hoban į sesers Marijos išleistuves į pirmąją Švento Kazimiero Seserų kongregacijos misiją, kuri kartu buvo ir pirmasis tos kongregacijos vienuolynas. Vieta — Mount Carmel parapijos mokykla, kur klebonavo kunigas Antanas Staniukynas. Vysk. M. Hoban kalbėjo tarsi apie didelį įvykį. Jis priminė, kad seserys savo veikloje patirs visokių kliūčių, nemalonumų, net iš savų žmonių — lietuvių, net ir prasimanytų istorijų, o gal net ir persekiojimų. Ano meto lietuvių parapijose buvo tokių įvykių, kad vyskupas turėjo pagrindo taip kalbėto. Tačiau tokių dalykų nereikia nusigąsti gyvenime ir veikloje reikia drąsos, begalinio pasitikėjimo Dievu. Jis padėkojo Marijos Nekaltos Širdies seserims už ikšiolei pagalbą šioms trims lietuvaitėms, ragino ir toliau jų neužmiršti, kad, kai aplinkybės reikalaus, leistų joms sugrįžti į jų vienuolyną rekolekcijoms, atostogoms, kad kitaip joms padėtų, ypač kur nors naujai pradedant darbą mokykloje. Jis palaimino lietuvaites ir pasakė, kad seseriai Marijai yra leista ir skirta vykti į Mount Carmel — į pirmąją naujos kongregacijos misiją.

Tą pačią dieną, spalio 7, sesuo Marija, palydėta Motinos Cyrilės ir sesers Bonifacijos, išvyko į Mount Carmel, o seserys Immaculata ir Concepta pasiliko vienuolyne, Scrantone. Mount Carmel pasiekė apie šeštą valandą vakare ir pernakvojo čia esančiame Marijos Nekaltos Širdies seserų vienuolyne. Sekantį rytą, apie 9 valandą atėjo čia kunigas A. Staniukynas ir nuvedė seserį Mariją bei abi jos palydoves į namą, kurį jis buvo išnuomavęs laikinam seserų gyvenimui. Įėjus į namą, pirmame kambaryje ant stalelio stovėjo Jėzaus Širdies statulėlė, pirštu rodanti į atvirą širdį. Sesuo Marija sako, kad statulėlė buvęs pirmas taškas, patraukęs jos akis, ir kad jai čia pat kilo mintis, kad ją čia atvedė šios širdies meilė. Ir kunigas ir šios trys vienuolės suklaupė aplink statulėlę ir maldoje pavedė Jėzaus širdies globai save, namą ir tuos, kas jame gyvens. Paskui perėjo visą namą. Visur buvo nauji baldai, viskas rūpestingai sutvarkyta. Palikusi kleboną ir savo palydoves besitariančius, sesuo Marija nuėjo virtuvėn paruošti pietus. Ir čia viskas buvo tvarkoje, pakankamai ne tik indų, įvairių įrankių, bet ir maisto. Viskas parūpinta seserų, pas kurias jos nakvojo.

Sekančią, spalio 9 d., Motina Cyrilė išvyko atgal į Scranton. Mount Carmel pasiliko sesuo Marija ir Motina Bonifacija (kaip sesuo Marija visur ją tituluoja), kuri laikinai čia bus sesers Marijos formali vyresnioji. Abi paskendo namo smulkmenų tvarkyme. Scrantone pasiliko ne tik seserys Immaculata ir Concepta, o jau ir kelios naujos postulantės. Spalio 14

d. viena iš tų postulančių — Domicelė Čižauskaitė atvyko į Mount Carmel, siunčiama Motinos Cyrilės. Atvykusi ji perėmė virtuvę ir visą namo priežiūrą. Seseriai Marijai užteko kitokių rūpesčių. Motina Bonifacija buvo jai ne tik patarėja, o tikra vadovė.

Spalio 21 d. sesuo Marija ir Motina Bonifacija gavo Motinos Cyrilės siunčiamą piano ir šešias klaupkas koplyčiai, kurioje dar nebuvo nė altoriaus, nė kitokių liturginių reikmenų. Gi 22 d. iš tos pat Motinos Cyrilės sesuo Marija gavo laišką, apie kurį ji sako, kad iš to laiško matėsi, kaip Motina Cyrilė rūpinasi mumis daugiau, negu mes pačios. Sesuo Marija jautė, kaip kiekvieną dieną jas stebi ir anos čia besidarbuojančios seserys, pas kurias pirmą naktį jos nakvojo. Kai 31 d. Motina Bonifacija ir sesuo Marija išvyko į Scrantoną, į Motinos Bonifacijos giminaičio kunigo T. O'Neil laidotuves, likusi postulantė Domicelė Čižauskaitė stebėjosi, kaip tos seserys ja rūpinosi.

1907 m. lapkričio 6 d. sesuo Marija ir Motina Bonifacija gavo Motinos Cyrilės iš Scrantono siunčiamą jų namo koplyčiai altorių. Gi lapkričio 22 dieną atvyko seserys Immaculata ir Concepta, lydimos sesers De Sales, ir atvežė koplyčiai būtinus liturginius reikmenis: kieliką, komunikantams indą, altoriui kryžių — dovanas vienos ponios Mary McMurtrie iš Ashland, Pa. Matomai, gandas apie naują kongregaciją ir jos misiją plito žmonių tarpe ir rado prielankaus atgarsio. Kun. A. Staniukynas šiomis dienomis neminimas. Turbūt nebuvo svarbių reikalų namie, tai jis keliavo rinkdamas aukas bepradedančios savo gyvenimą lietuvaičių kongregacijos reikalams.

Gruodžio 3 dienos rytą kun. A. Staniukynas pašventino namą, skirtą seserims, name koplyčią, altorių ir čia atlaikė pirmąsias šv. Mišias. Sesuo Marija sako, kad nuo šiandien tuose namuose prasidėjo tarsi naujas gyvenimas, nauja savijauta, kad dabar čia yra ir švenčiausioji Eucharistija. Tas jausmas pripildė ne tik jos sielą, o jai atrodė, kad ir visą namą. Nuo pat atvykimo į Mount Carmel seserai Marijai ir Motinai Bonifacijai rūpėjo ne tik namas, kuriame jos apsigyveno, o gal net daugiau negu tai, būsimoji mokykla. Namas mokyklai jau stovėjo, reikėjo jį tik smulkmeniškai sutvarkyti pradžiai darbo, kuris buvo čia jų atvykimo vienintelis tikslas. Buvo jau daug vietų, kur lietuviai laukė šios pagalbos, tačiau niekas nesistebėjo, kad naujos kongregacijos pirmoji darbo vieta buvo Mount Carmel, kur klebonavo kunigas A. Staniukynas. Visi žinojo, kad niekas kitas nedrįso imtis taip padėti naujai kongregacijai, kaip tai darė kun. A. Staniukynas.

Mount Carmel ir apylinkės lietuviai žinią, kad toje nuošalioje vietoje pradeda savo misiją vienuolės lietuvaitės, priėmė gana šaltai. Vis tas anų metų lietuvių nusiteikimas, kad lietuviai daug ko negali padaryti, ką gali kiti. Kai kunigas A. Staniukynas ėmėsi ruošti Mount Carmelyje didelį namą mokyklai, lietuviai laikėsi labai nuošaliai, pinigais beveik nepadėjo, teko kunigui vienam tuo pasirūpinti. Tačiau, kai 1907 m. Kalėdų trečią dieną vyskupas John W. Shanahan šventino jau įruoštą mokyklą, lietuvių susirinko daug ir pradėjo keistis jų nuotaikos. Buvo paskelbta, kad už poros savaičių — 1908 m. sausio 6 d. prasidės mokykloje darbas. Iki tos dienos buvo priimti 77 mokiniai ir paskirstyti į šešis skyrius. Mokinių skaičius kasdien didėjo, už keliolikos dienų jų buvo jau virš šimto. Lietuviai čia siuntė vaikus, iki šiol lankiusius kitas mokyklas. Seserims Marijai, Immaculatai, Conceptai — Lietuvos kaimo mergaitėms, tai buvo jau didelė mokykla. Jų gražiausios svajonės pildėsi kaip sapne. Kai po kiek laiko vaikai namie savo tėvams paskaitydavo lietuviškai, tėvai susijaudinę ištardavo: „Dieve brangus, ar gi būtų galima tikėti, kad mano vaikas išmoks lietuviškai skaityti Amerikoje".

Amerikoje gimę vaikai, daugelis jų jau buvę angliškose mokyklose, lietuviškai mokėjo tik tiek, kiek išmoko gimtoje šeimoje. Sesuo Marija buvo nusistačiusi mokyti juos ir lietuvių kalbos ir kitų lietuviškų dalykų. Tačiau pat pradžioje ji pajuto, kad čia gimusius ir augančius mokyti šių dalykų yra daug sunkiau, negu ji vaizdavosi. Vistiek. tai buvo išsipildžiusi jos svajonė, ir sutinkami sunkumai nedarė jai jokios neigiamos įtakos, netemdė jos džiaugsmo. Jos ramybės ir optimizmo šaltinis buvo vis tas pats: kas bus pagal Dievo valią, Jis visada suras kelius, kad parinkti žmonės tai įgyvendintų.

Dar neapsipratus kaip reikiant su pradėta mokymo misija, artėjo pirmą kartą kongregacijos globėjo šv. Kazimiero šventė. Sesuo Marija sako, šv. Kazimiero šventės rytą jos pradėjo nepaprasto džiaugsmo nuotaikoje. Tai ne tik šv. Kazimiero šventė, bet tą dieną jos atnaujins — pakartos savo vienuolinius įžadus. Ir tai bus jau ne svetimam, nors ir labai svetingame vienuolyne, o pirmosios savo misijos pirmą kartą kongregacijos istorijoje šventojo globėjo šventėje. Vysk. John W. Shanahan pavedimu, kunigas A. Staniukynas 6:30 val. ryto seserų namo koplyčioje laikė šv. Mišias, prieš Komuniją jis atsisėdo kėdėn, o trys lietuvaitės viena po kitos pakartojo savo vienuolinius įžadus. Po kunigo trumpo uždegančio žodžio jos priėmė Šv. Komuniją. Nors čia jų vyresnioja dar buvo iš Scranton Motina Bonifacija, tai šventė jau savoje misijoje stebėtinu būdu padėjo sustiprėti jausmui, kad jos jau yra tikra atskira savarankiška kongregacija, kad joms reikia apsiprasti savarankiškai žiūrėti į gyvenimą. Motina Bonifacija buvo prityrusi ir išmintinga vienuolė. Ji buvo čia laikinąja lietuvaičių vyresniąja ne ta prasme, kad jas valdytų, o kad pagal reikalą patartų, pamokytų, padėtų.

ŠVENTO KAZIMIERO SESERŲ KONGREGACIJOS ŽENKLAS

Švento Kazimiero šventės proga vyskupas John W. Shanahan atsiuntė lietuvaitėms vienuolėms didelę dėžę, kurioje buvo laiškams popierius su jo paties nupieštu ir išspausdintu ženklu — herbu, vaizduojančiu karūną, kardą ir leliją. Netrukus, Velykų proga, laiške 1908 m. balandžio 7 d. vyskupas paaiškinoto ženklo prasmę. Jis rašo: — Ženklas yra mano sukomponuotas. Karūna vaizduoja šv. Kazimiero laipsnį — jis priklausė karališkai šeimai; kardas išreiškia jo pašaukimą — jis buvo karys; lelija reiškia jo meilę skaistybei — tai buvo jo ypatingas bruožas, jo pasirinktoji dorybė. „Būk ištikimas iki mirčiai ir aš tau duosiu gyvenimo vainiką" (Apr.2,10). „Aš atėjau nešti ne ramybę, o kalaviją" (Mat.10,23). „Aš esu laukų gėlė ir slėnių lelija" (Giesmių giesmė, 2.1) (žr. Dr. A. Kučas. Kun. Antanas Staniukynas, psl. 102).

Mokslo metų dienos darėsi vis panašesnės vakarykščiai dienai. Darbu mokykloje ir savais reikalais jos buvo labai pilnos, laikas bėgo greitai. Birželio 21 d.

baigėsi mokslo metai su 125 mokiniais. Šių mokyklos gyvavimo ir Seserų Kazimieriečių darbo mokykloje pirmų metų užbaigai buvo parodyta ypatingas dėmesys. Visi mokiniai gavo po gražią knygą ir po šv. Kazimiero paveikslėlį, atsiųstus vyskupo John W. Shanahan. Kun. A. Staniukynas davė visiems po paveikslėlį iš Šventosios Žemės. Sesuo Kazimiera ir jos draugės seserys Immaculata ir Concepta jautėsi tarsi išlaikiusios kokį nors svarbų egzaminą.

Sutvarkiusios mokyklą vasaros atostogoms, Motina Bonifacija ir visos trys lietuvaitės išvyko atostogoms į Mount St. Mary vienuolyną, Scrantone. Netrukus, rugpiūčio 11 d., ir visam vienuolynui, ir lietuvaitėms teko priimti skaudų įvykį — mirė Motina Bonifacija, tiek daug padėjusi lietuvaitėms pirmus metus besidarbuojant Mount Carmel. Pasiruošimas tolesniam darbui mokykloje, metinės rekolekcijos — ir vasara prabėgo kaip nebuvus.

1908 m. rugpiūčio 28 d. visos trys lietuvaitės grįžo į Mount Carmel. Jas globoti buvo paskirta sesuo M. Berchmana Gallagher, jau prieš metus atšventusi savo vienuolinių įžadų 25 metus. Rugpiūčio 30 dieną buvo pradėtas darbas mokykloje su 117 mokinių, o iki mokslo metų pabaigos padaugėjo iki 152.

Dar besivystančiai Švento Kazimiero Seserų Kongregacijai šių mokslo metų eigoje nuo 1908 m. rugpiūčio iki 1909 m. rugpiūčio, įvyko daug kas labai svarbaus. Daugėjo kandidačių, taigi ir kiekvienais metais įžadus padarančių seserų skaičius. Postulantės ir novicijos iki šiol dar vis auklėjamos tame pat Mount St. Mary vienuolyne, Scranton. Savaime buvo laikas, tai primindavo ir Motina Cyrilė, galvoti apie savą centrą — Motinišką namą. Šis rūpestis teko beveik vienam kunigui A. Staniukynui: ir vietą surasti, ir surinkti lėšas tokiai vietai įsigyti.

1908 m. gruodžio mėn. kunigas A. Staniukynas paprašė Harrisburgo vyskupą John W. Shanahan atleisti jį iš Mount Carmel lietuvių parapijos klebono pareigų, kad jis galėtų atsidėti tik Šv. Kazimiero Seserų Kongregacijos Motiniško namo reikalams ir kitiems jo turimiems planams Amerikos lietuvių gyvenime. Vyskupas sutiko, kunigas A. Staniukynas iš Mount Carmel išvyko. 1909 m. vasario 13 d. lietuvių kunigų susirinkime Pittsburghe išgirdęs visokių nuomonių ir patarimų jo rūpimam reikalui, išgirdo ir nuomonę, kad reiktų orientuotis Chicagos link. O čia jis turėjo būti vasario 16 d. kunigo Kolesinsko jubiliejaus proga. Atvykęs į Chicagą, jis rado tiek lietuvių ir jau kelias dideles parapijas su savomis mokyklomis, kad tai jį nustebino. Tose mokyklose vienose mokytojavo seserys Nazarietės, kitur pasauliečiai. Čia lietuviai kunigai kalbėjo kunigui A. Staniukynui, kad Šv. Kazimiero Seserų Kongregacijos Motinišką namą reikia įkurdinti Chicagoje. Ta mintis patiko ir kunigui A. Staniukynui. Tačiau, ar tai pavyktų? Kai naujos lietuvaičių vienuolių kongregacijos buvo dar tik idėja ir lietuviai kunigai buvo įgalioję kunigą Matą Kriaučiūną kalbėtis tuo reikalu su Chicagos arkivyskupu J. E. Quigley, arkivyskupas nesutiko leisti tokį bandymą Chicagos archidiecezijoje. Laikinai tuo buvo aptilusi ir tokios kongregacijos idėja.

ŠV. KAZIMIERO SESERŲ KONGREGACIJOS PERKĖLIMAS Į CHICAGĄ

Kai kunigas A. Staniukynas ir Chicagos lietuviai kunigai dabar pasiūlė tam pačiam arkivyskupui J. E. Quigley perkelti į Chicagą jau įsteigtą ir veikiančią Šv. Kazimiero Seserų Kongregaciją, arkivyskupas tuojau sutiko, pažadėdamas ir finansinę paramą steigiant čia Motinišką namą. Harrisburgo vyskupas John W. Shanahan, žiūrėdamas ne savo interesų, o šios naujos kongregacijos ateities, taip pat sutiko, kad Šv. Kazimiero Seserų Kongregacija iš Harrisburgo diecezijos būtų perkelta į Chicagą. Arkivyskupas J. E. Quigley tuoj parašė į Romą, Tikėjimo Platinimo kongregacijai, prašydamas Šv. Kazimiero Seserų Kongregaciją perkelti į Chicagą. 1909 m. liepos 2 d. buvo gautas iš Romos teigiamas atsakymas. Nors kunigas A. Staniukynas ir toliau dažnai keliaudavo, bet jo būstinė skaitėsi jau Chicaga, pradžioje — Visų Šventų parapijos klebonijoje, vėliau Šv. Kryžiaus parapijos klebonija. Kartu su arkivyskupu, pasitardamas su lietuviais kunigais, kun. A. Staniukynas ėmėsi ieškoti tinkamos vietos, kur statyti Šv. Kazimiero Seserų Kongregacijai Motinišką namą.

1909 metų vasaros atostogas trys lietuvaitės vienuolės praleido dar ten pat, Scrantone, Mount St. Mary vienuolyne. Rugpiūčio 22 d. jos vėl grįžo į Mount Carmel, rugsėjo 1 d. pradėjo mokslo metus su 119 mokinių, paskirsčiusios juos į septynias klases. 1910 metų birželio pabaigoje mokslo metus baigė su 160 mokinių. Vasarai lietuvaitės vienuolės vėl išvyko į Scrantoną. Kun. A. Staniukynas dažnai rašydavo seseriai Marijai apie savo veiklą Chicagoje. Būdinga, kad savo laiškuose jis mažai kada užsimindavo, o paprastai visai neminėdavo patiriamų nemalonumų, nuovargio. O Chicagoje jis keliaudavo arba tramvajumi, arba eidavo pėsčias, iš užrašų skaitome, kad būdavo ne retas atvejis likti per dieną nevalgius.

VIENUOLIJOS PIRMASIS PRIEAUGLIS
IR NAUJOS MOKYKLOS

Sesuo Marija ir dvi jos draugės 1910 metų vasarą turėjo ypatingą pergyvenimą. Rugpiūčio 2 d. septynios postulantės gavo novicijų rūbą, pradėjo noviciatą, o šešios novicijos padarė pirmuosius vienuolinius įžadus. Taigi nuo šiandien jos ne trys, o devynios Šv. Kazimiero Seserų Kongregacijos narės, septynios novicijos ir vėl būrelis postulančių. Kongregacija auga, bus įmanoma patenkinti nors kai kurių klebonų kvietimus darbui jų parapijų mokyklose. 1910 m. rugpiūčio 23 d. į Mount Carmel sekantiems 1910-1911 mokslo metams išvyko jau naujas seserų sąstatas. Jau be Vyriausiosios iš Scrantono seserų, o kaip mokyklos vedėja ir seserų vyresnioji sesuo M. Concepta ir su ja penkios naujai padariusios vienuolinius įžadus. Seserys Marija ir Immaculata tuo tarpu pasiliko Scrantone. Priežastis — Chicagoje jau vyksta būsimo Motiniško namo statyba, čia buvo ir kunigas A. Staniukynas ir Visų Šventų parapijos klebonas Serapinas primygtinai prašė, kad Šv.

Kazimiero Kongregacijos seserys perimtų jo parapijos mokyklą.

1911 m. sausio 6 d. seserys Marija, Immaculata, viena iš naujai padariusių įžadus — sesuo Elzbieta ir viena postulantė atvyko į Chicagą. Sekančią dieną jos pradėjo savo misiją Chicagoje, Roselande, Visų Šventų parapijoje. Darbas pradėtas sausio 9 d. su 119 mokinių. Trijuose kambariuose jie buvo suskirstyti į aštuonis skyrius — klases.

Chicagoje parinkta vieta Seserų Kazimieriečių Motiniškam namui. Iš kairės dešinėn: kun. Aleksandras Skripka, kun. Pranciškus Serafinas, kun. Antanas Staniukynas

MOTINIŠKAS NAMAS
CHICAGOJE

Iš dažnų kunigo A. Staniukyno laiškų sesuo Marija ir kitos seserys žinojo, kad jau 1909 metais buvo nupirkta vienuolynui žemės Chicagos pietinėje dalyje, tada tolokai nuo miesto, ramioje vietoje, 67-os (Marquette Road) ir Rockwell gatvių kampe, kad rugsėjo 24 d. buvo pradėti statybos darbai. Buvo sutarta, kad gruodžio 5 d. arkivyskupas J. E. Quigley pašventins kertinį akmenį. Prieš minimą dieną tačiau tiek prilijo, kad prie naujai statomo vienuolyno nebuvo galima prieiti. Tik po kelių dienų, nuslūgus vandeniui, arkivyskupo deleguotas kunigas Bold pašventino kertinį akmenį, tačiau be tų iškilmių, kokias lietuviai buvo paruošę gruodžio 5 dienai.

Sesuo Marija neturėjo laiko mokytojauti Visų Šventų porapijos mokykloje. Ji turėjo jau rūpintis naujo namo įruošimu, nuo sausio 11 dienos ji ten jau ir apsigyveno. 1911 m. vasario 28 d. namas buvo jau užbaigtas ir perduotas gyvenimui. Iš Scranton atvyko dar viena sesuo, aštuonios novicijos ir viena postulantė (kitos postulantės pasiliko Scrantone

110

mokykloje iki mokslo metų užbaigimo). Sesuo Marija su šiomis naujai atvykusiomis įsikūrė jau naujame name. Jis tada dar nebuvo toks, kokį matome dabar, be naujo prie jo priestato. Pradžioje name vietos buvę tik 25 asmenims. 1911 m. balandžio 14 d. — Šventąjį Penktadienį atvyko iš Scranton viena iš Marijos Nekaltos Širdies Tarnaičių kongregacijos seserų — sesuo M. Gabrielė kartu su penkiomis lietuvaitėmis postulantėmis. Savo kongregacijoje padariusi vienuolinius įžadus jau prieš 27 metus, ėjusi įvairias pareigas, sesuo M. Gabrielė bus čia kurį laiką formali Šv. Kazimiero seserų vyresnioji, kadangi lietuvaitės vienuolės, dar vos po pirmųjų įžadų, savo išsirinktos vyresniosios dar neturėjo. Pradžioje buvusios Harrisburgo vyskupo, dabar Chicagos arkivyskupo J. E. Quigley juridikcijoje, jos turėjo paklusti asmeniui, kurį paskirs, pirma Harrisburgo, dabar Chicagos arkivyskupas. Laikinai buvo pavesta Scrantono Marijos Nekaltos Širdies Tarnaičių vyresniajai Motinai Cyrilei jų vadovybė, o ji savo vardu skirdavo kurią nors kitą seserį. Kaip Motina Cirylė, Mount Carmel Motina Bonifacija, taip dabar Chicagoje sesuo Gabrielė atsidavė jai pavestų lietuvaičių globai tokiu nuoširdumu, kad tas tris vienuoles asmeniniai pažinojusios lietuvaitės vienuolės visada minėjo su pagarba ir dėkingumu.

Dabar jau savuose namuose sesuo Motina Gabrielė buvo faktiška ir namų tvarkytoja, ir novicijų bei postulančių auklėtoja. Ir kunigas A. Staniukynas jau turėjo daugiau laiko susitikti su seserimis. Jis turėjo seserims įvairių pamokų, beveik reguliariai turėdavo dvasinio turinio konferencijas. Kiekvieną atliekamą dieną ar vakarų valandėlę jis pašventė paruošti lietuvaitėms vienuolėms reikalingos ir tinkamos religinės literatūros lietuvių kalba, daugumą versdamas iš kitų kalbų. Tie jo darbai ir dabar yra saugojami Šv. Kazimiero seserų kongregacijos archyvuose. Naujas Motiniškas namas buvo pašventintas 1911 m. liepos 2 d. Šventino namą arkivyskupas J. E. Quigley, dalyvaujant 24 kunigams, šešiems klierikams, didžiulei miniai pasauliečių, giedojo 50-ties vyrų choras, grojo orkestras. Vienu žodžiu — tai buvo ne vien Šv. Kazimiero Seserų Kongregacijos, o visų Chicagos ir apylinkės lietuvių, visos Chicagos šventė. Tos iškilmės parodė, kaip lietuvių visuomenė buvo išsiilgusi tokio dalyko, kaip lietuvaičių vienuolių kongregacijos. Sesuo Marija šį įvykį yra užsirašiusi tik trumpu žodžiu, tačiau ir tie pakankamai pasako jos vidinį išgyvenimą, kad jos puoselėtos svajonės siekimas vystosi taip, kaip ji mato šiandien. Žinoma, ne mažesnis išgyvenimas buvo kunigo A. Staniukyno, kurio pasišventimo vaisius šiandien taip iškil-

Seserų Kazimieriečių Motiniškas namas Chicagoje Motinos Marijos mirties metu

mingai apvainikuojamas. Ir jis tačiau savo vidinį išgyvenimą pasiliko tik sau pačiam, nėra jo plačiau aprašęs. Tos iškilmės metu kalbėjo ne tik arkivyskupas, bet ir kiti, o kun. A. Staniukynas ir sesuo Marija laikėsi taip, tarsi jie tame įvykyje būtų bereikšmiai asmenys. Šią 1911 metų vasarą Šv. Kazimiero Kongregacijos seserys, novicijos, postulantės nevažiavo kur nors kitur atostogaui. Jos jau turi savo namus, kuriuose yra vietos ne tik joms gyventi, o ir mokyklai. Aplink namą turi erdvų žemės plotą, kur gali sodinti, auginti gėles, daržoves, pasodinti sodą, turi kur pažaisti. Tačiau, kaip sesuo Marija sako, vasaros atostogų metu daugiausia dėmesio buvo skirta lietuvių kalbai, kurios kasdien mokė kun. A. Staniukynas. Šią vasarą ir metinėms rekolekcijoms seserys, novicijos, postulantės kitur jau nevažiavo. Jos vyko naujuose savuose namuose, vadovaujamos kunigo A. Staniukyno.

ŠV. KAZIMIERO AKADEMIJOS
PRADŽIA

1911 m. rugsėjo 5 d. naujame Motiniškame name buvo atidaryta mokykla mergaitėms — Šv. Kazimiero Akademija: pradžios mokyklos aštuoni skyriai — klasės ir trys klasės vidurinės mokyklos — High School. Kadangi jau veikė parapijų mokyklos, artimoje kaimynystėje gyventojų buvo dar ne daug, tad Šv. Kazimiero Akademijoje pradžioje mokinių skaičius buvo kuklus: keturios mergaitės čia ir gyveno, o 17 ateidavo iš namų tik pamokoms. Vistiek tačiau, taip greitai, pirmais metais gyvenimo savuose namuose viršytos net gražiausios svajonės. Svajota apie darbą parapijų mokyklose, o šiandien štai pradedama mokykla savuose namuose, kuri gražiai augo ir išaugo į visiems lietuviams ir visai Chicagai žinomą Marijos Aukštesniąją mokyklą — Maria High School, ne tik su keliolika šimtų mergaičių mokinių, o atsižymėjusią moksliniu studenčių paruošimu, beveik neturinčią sau lygių mokyklų kai kurių klasių mokslinių priemonių turtingumu, su auditorija ir gimnastikos sale, kur randa sau vietos visi žymesni Chicagos lietuvių įvykiai: minėjiami, opera ir kt.

Šiais pirmais 1911 metais savuose namuose įvyko dar viena naujiena, kuri viršijo sesers Marijos svajones. Savų namų koplyčioje devynios postulantės

114

priimtos į novicijatą, gavo vienuolės rūbą su baltu velionu, o novicija Domicelė Čižauskaitė padarė pirmuosius vienuolinius įžadus, pasirinkdama Teresės vardą. Kaip sesuo Marija sako, tai buvo džiaugsmas, ją jaudino, kad tokios apeigos vyksta jau savo namo koplyčioje, joms vadovauja kunigas A. Staniukynas, asistuojamas kun. Kolesinsko, ir visos apeigos vyko lietuvių kalba. Sekančiais metais balandžio 9 d. buvo priimtos į novicijatą ir gavo vienuolės rūbą buvusios devynios postulantės. Ta pačia proga buvo suteiktas Sutvirtinimo sakramentas aštuonioms mokinėms. Kadangi visas apeigas vykdė arkivyskupas J. E. Quigley, tai viskas vyko anglų kalba. Vasaraos atostogoms seserys ir su jomis dirbusios postulantės iš Mount Carmel, iš Visų Šventų Chicagoje misijų susirinko į savus namus. Kaip sesuo Marija sako, visų nepaprasta savijauta, kad jų jau kelios dešimtys. Vasaros atostogas užbaigė metinėmis rekolekcijomis, kaip sesuo Marija sako, vedančiomis į gilų šventumą, kurioms vadovavo kun. A. Staniukyno pakviestas kapucinas Tėvas Kazimieras Kudirka. Rekolekcijos baigėsi labai įspūdingai: šešios postulantės priimtos į novicijatą ir septynios novicijos padarė pirmuosius vienuolinius įžadus. Iš to didžiausias džiaugsmas, kad bus pasiektas didesnis skaičius jaunų sielų parapijų mokyklose. Šią vasarą Šv. Kazimiero Kongregacijos seserys paėmė aptarnauti dvi naujas mokyklas: Švento Kazimiero Philadelphijoje ir Švento Baltramiejaus Waukegane. Ir pačiame Motiniškame name Šv. Kazimiero Akademija mokslo metus pradėjo su 15 studenčių, gyvenančių bendrabutyje ir 40 ateinančių pamokoms iš namų. Pradėta ir muzikos klasė, kuri, kaip sesuo Marija sako, ne viena proga suteikė malonumo.

PIRMOJI VYRESNIOJI IŠ
SAVŲ SESERŲ TARPO

1913 metų vasarą vėl visos seserys ir postulantės susirinko į savo Motiniškus namus. Vyresniąja čia dar buvo sesuo Gabrielė iš Scrantono, namus tvarkė, buvo novicijų ir postulančių mokytoja. Seserys nenujautė, kokią staigmeną atneš joms ši vasara. Metines rekolekcijas šią vasarą pravedė pora savaičių anksčiau: liepos 24 — rugpiūčio 2 dienomis, nes reikėjo prisitaikyti prie vedėjo. O tuo vedėju buvo, kaip sesuo Marija sako, garbingas profesorius kunigas Jurgis Matulaitis, atvykęs šiai vasarai į Ameriką iš Šveicarijos. Rekolekcijos baigėsi rugpiūčio antros dienos rytą. Tą rytą šv. Mišias laikė kunigas A. Staniukynas, o svečias rekolekcijų vedėjas vadovavo tos dienos kitoms apeigoms: vienuolika postulančių buvo priimtos į novicijatą ir gavo vienuolės rūbą, o aštuonios, baigę novicijatą, padarė pirmuosius vienuolinius įžadus. Visų buvo daugiau negu šventiška nuotaika, buvo džiaugsmo diena, kad jų kongregacija vėl padidėja tokiu gražiu skaičiumi.

Tuoj po rekolekcijų sesuo Gabrielė išvyko į

Scrantoną, palikdama seserį Mariją novicijų, postulančių auklėtoja ir Šv. Kazimiero Akademijos vedėja, o namus tvarkyti pavedė seseriai Conceptai. Kad sesuo Gabrielė nepasakė išvykimo reikalo, tai nieko ypatingo, bet seserys kiek pasigedo, kad nepasakė, kada ji sugrįš. Sugrįžo tik po trijų savaičių, ir seserys dar labiau nustebo, kai sugrįžusi tą pat dieną, rugpiūčio 23, joms pasakė, kad jos turi išsirinkti Vyresniąją iš savo tarpo. Aišku, kad per tas tris savaites šis reikalas buvo sutvarkytas su Bažnytine vyresnybe. Seserys dar nebuvo išsiskirsčiusios į misijas po vasaros atostogų. 1913 m. rugpiūčio 24 d. seserys buvo sušauktos į bendruomenės kambarį, sesuo Gabrielė joms išaiškino, kurios turi teisę balsuoti — rinkti ir būti renkamos ir visas nuvedė į koplyčią. Čia jos pamatė, kad joms pasakyta naujiena buvo jau žinoma. Jos rado koplyčioje jau pasiruošusį šv. Mišioms kunigą A. Staniukyną, su juo kapuciną Tėvą Kazimierą Kudirką. Po šv. Mišių kun. A. Staniukynui ir Tėvui Kazimierui Kudirkai oficialiai pirmininkaujant, o seseriai Gabrielei vadovaujant, devynios seserys, trys pirmosios padariusios vienuolinius įžadus 1907 m. ir šešios padariusios įžadus 1910 m. balsavo rinkdamos vieną iš tų devynių — iš savo tarpo. Koks nors susitarimas net ir privačiai vargiai buvo galimas. Kaip galima buvo tikėtis, buvo išrinkta sesuo Marija. Ar sesuo Marija galvojo, kad ji būtų naujos kongregacijos, kuriai ji davė pradžią, pirmoji vyresnioji, yra nelengva atspėti. Bent seserys, kurios nuo pat pradžios iki tai dienai su ja gyveno, neprisimena, kad sesuo Marija būtų kada nors tokią mintį pasakiusi. Iš sesers Marijos elgesio iki tol ir iš jos laiškų po to atrodo, kad ji nebūtų nustebusi, nė kam nors išmetinėjusi, jeigu iš jų tarpo pirmąja vyresniąja būtų buvusi paskirta ar išrinkta kuri kita, o ne ji. Jos siekimas buvo, kad lietuvaičių vienuolija atsirastų, jos tikslas pasiektas — vienuolija jau veikia. Jeigu vyresniąja būtų tapusi kuri kita, sesuo Marija būtų priėmusi bet kokias pareigas ar vietą, kaip priėmė iki šiol, ar kaip dabar nusižeminusiai priėmė jos išrinkimą. Nuo dabar Kazimierą Kaupaitę, seserį Mariją vadinsime Motina Marija, kuriuo vardu iki dabar ji vadinama Šv. Kazimiero Seserų Kongregacijoje.

Po kelių dienų seserys ir dalis postulančių skirstėsi darbui iki šiol turėtose mokyklose ir šį kartą paėmė dar vieną naują misiją — Švenčiausios Marijos Aušros Vartų lietuvių parapijos mokyklą Chicagoje, Westside (23 Place). Sesuo Gabrielė dar pasiliko, tačiau jau ne vadovauti, o Motinai Marijai patarti, padėti.

Gruodžio 22 d. sesuo Gabrielė, atsisveikinusi su lietuvaitėmis, galutinai išvyko į savo vienuolyną, į Scranton. Švento Kazimiero seserų kongregacija buvo palikta tvarkytis savo jėgomis. Sesuo Concepta buvo paskirta novicijų mokytoja. Motina Marija, jos pirmosios dvi draugės: seserys Immaculata ir Concepta, ir kitos po jų padariusios įžadus buvo pakankamai apsipratę su vienuoliniu gyvenimu. Prieš Kalėdas Motina Marija parašė visoms misijose dirbančioms seserims laišką. Kaip Motina Marija sako, jau tik vienos sau, be svetimų vadovavimo atšventė 1913 metų Kalėdas. Toliau jų gyvenimas ir darbai vyko jau įprasta tvarka. Su seserimis, besidarbuojančiomis penkiose misijose, Motina Marija dažnai bendravo laiškais.

Netruko ateiti ir 1914 metų vasara. Vėl visos seserys ir postulantės susirinko į savo Motinišką namą. Šį kartą jau sava Motina Marija jas sutiko ir globojo, kaip jų Vyresnioji. Ši vasara atnešė taip pat šį tą malonaus ir visų seserų, ir Motinos Marijos širdžiai. Iš jos užrašų matosi, kaip gausiai ir nuoširdžiai padėjo kunigas A. Staniukynas. Šią vasarą jis savo konferencijose reguliariai ir labai metodiškai aiškino seserims, kaip geriau ir naudingiau praktikuoti dvasinius mąstymus, sąžinės patikrinimą ir jau lietuvių kalba paruošė konstituciją, kuri, kaip Motina Marija sako, nuo tos vasaros buvo vykdoma. Šį naują tekstą ir lietuvių kalba paruošė kunigas A. Staniukynas kartu su kunigu Jurgiu Matulaičiu, tariantis taip pat su Motina Marija. Šį naują konstitucijos tekstą patvirtino arkivyskupas J. E. Quigley. Pats kunigas A. Staniukynas vadovavo seserų metinėms rekolekcijoms rugpiūčio 6-15 dienomis. Šių rekolekcijų užbaigoje Motina Marija, seserys Immaculata ir Concepta padarė amžinuosius vienuolinius įžadus. Kitos pakartojo laikinuosius įžadus, vėl devynios novicijos padarė pirmuosius vienuolinius įžadus, vienuolika postulančių buvo priimtos į novicijatą. Motinai Marijai ir kitoms turėjo tai būti ypatingo džiaugsmo diena, tačiau vėliau matysime, kaip ji mokėjo save valdyti.

MOTINA MARIJA GAUNA PATARĖJAS — IŠRENKAMA TARYBA

Rugpiūčio 17 d. įvyko Generalinei Vyresniajai Motinai Marijai patarėjų — tarybos ir kitų pareigūnių rinkimai, vadovaujant kun. A. Staniukynui. Dalyvauti rinkimuose teisė buvo duota jau ne 9, o 38 seserims. Išrinktos: pirmąja patarėja — sesuo Scholastika, antrąja — sesuo Margareta Marija, trečiąja — sesuo Immaculata, ketvirtąja — sesuo Elzbieta, generaline sekretore — sesuo Margareta Marija, finansų tvarkytoja — sesuo Teresė. Motinai Marijai, išrinktai Generaline Vyresniąja, prasidėjo tarsi naujas gyvenimas ne ta prasme, kad tai būtų suteikę jai ką nors malonaus, o ta prasme, kad nuo dabar jai teks nešti vienuolijos gyvenimo, vystymosi, visokių reikalų naštą. Pati Motina Marija savo užrašuose beveik niekad ar tik labai lakoniškai užsimena apie jos pergyventus sunkumus, rūpesčius, nuovargį. Daugiau apie tai galima suprasti ne iš jos užrašų, o iš jos išgyventų faktų. Tačiau ne vienu atveju ir tų faktų tikrąjį vaizdą tenka pamatyti ne iš jos, o iš kitų. Iki jos išrinkimo Generaline Vyresniąja, jeigu

Motina Marija (su Gedimino ordinu)

Motina Marija ir su dideliu dėmesiu sekė besivystan-
čios naujagimės — savos kongregacijos gyvenimą, tai
to kūdikio vyriausia priežiūra buvo dar anų Marijos
Nekaltos Širdies Tarnaičių vodovybės kompeten-
cijoje, kur Motina Marija ir kitos su ja, eilė dar po jos ,
atliko savo novicijatą. Po 1913 m. rugpiūčio 24 d. visi
rūpesčiai teko Motinai Marijai. Tiesa, kad kun. A.
Staniukynas rūpinosi ne tik medžiaginiais, o dvasi-
niais ir kitais seserų reikalais.

Vieną po kito pradeda šaukti mirtis tuos, kurie
Motinai Marijai buvo ne tik artimi, o labai daug padėjo
ne vien žodžiais, o ir darbais. 1913 m. spalio 27 d. mirė

121

jos brolis kunigas Antanas Kaupas, kuris, atsisakęs Šv.Trejybės parapijos Wilkes Barre, apsigyveno Chicagoje, redagavo į čią perkeltą „Draugą". Jo mirtį Motina Marija pajuto daugeliu atžvilgių. Kaip dažnai pasitaiko, kaip iki dabar ir čia buvo daryta, kaip rašant apie kitus įvykius, taip rašant ir apie Šv. Kazimiero Seserų Kongregacijos gyvenimą ir veiklą, minimi šviesieji faktai, be objektyvių ar abipusiškų komentarų. Motinos Marijos ir visos kongregacijos laimei, Dievo apvaizda buvo davusi tokį rūpintoją, kas buvo kunigas A. Staniukynas. Tačiau labai peranksti, su 1917 metais nutrūko ir jo pagalba, pamažu jis tapo vis rimtesnis ligonis ir 1918 m. gruodžio 15 d. jis iškeliavo amžinybėn. Dabar visi rūpesčiai liko Motinai Marijai. O tų rūpesčių buvo. Reikia stebėtis tų eilės pirmųjų metų jaunomis lietuvaitėmis, kokias sąlygas jos kantriai pakėlė ir Motiniškame name, ir dirbdamos misijose. Dirbančiųjų mokykloje seserų atlyginimas buvo toks, kad seserims tekdavo pabūti ir nedavalgiusiomis ir kantriai pakelti neturto dvasioje kitokius trūkumus. Paminėsiu kelis faktus, kurie nors šiek tiek pasako tikrųjų sąlygų vaizdą. Atsimenant kun. A. Staniukyno, Motinos Marijos kuklumą, nusižeminimą, kantrybę, pagarbą kunigams, buvo turbūt didelis reikalas, jeigu kun. A. Staniukynas kreipėsi net į tos diecezijos ganytoją, prašydamas atkreipti dėmesį, kokiose sąlygose dirba ir gyvena Šv. Kazimiero kongregacijos seserys, besidarbuojančios vienos parapijos mokykloje. Kitu atveju pati Motina Marija kreipėsi į kleboną, kad nors kiek būtų skirta pagalbos ir tai seseriai, kuri tvarkė tos parapijos namą, kuriame gyveno seserys, ten buvo virėja, padėdavo bažnyčios zakrastijoje, visą dieną intensyviai dirbdama ji turėjo pragyventi iš to menko atlyginimo, kurį gaudavo mokytojaujančios seserys.

O tas atlyginimas pradžioje buvo 15 dolerių, vėliau 20 dol. mėnesiui, ir to paties atlyginimo dalį tekdavo skirti Motiniško namo reikalams. Motiniško namo gyvenimo sąlygos buvo mažai žinomos visuomenei: kokie buvo seserų, novicijų, postulančių miegamieji, koks buvo maistas ir kiti dalykai. Visą mokslo metą intensyviai dirbusios, vasaros metu seserys vienos vykdavo į misijas katekizuoti vaikus, kitos į įvairias mokyklas tęsti savo lavinimąsi. Daug pasako faktas, kad ir pats kun. A. Staniukynas mirė džiova, daugiausia iš nuovargio, persišaldymų kelionėse, neturėdamas laiko pailsėti, mirė sulaukęs vos 53 metų. Pati Motina Marija mirė vėžiu, sulaukusi tik 60 metų. Dar prieš ją mirė 19 jaunų seselių, dalis džiova, kitomis ligomis, o visa eilė jaunų, taip pat sirgusių džiova ir kitomis ligomis, daugiausia vis dėl gyvenimo sąlygų, buvo išgelbėtos. Šie faktai pasako, kokios buvo eilę metų seserų gyvenimo ir darbo sąlygos. Kad jaunos lietuvaitės tų sąlygų neišsigąsdavo, pabandžiusios nepasitraukdavo, o jų skaičius kasmet stebėtinai gausėjo, tai pasako, kokio įspūdžio darė ir subrendusiems, ir jaunimui seserų gyvenimas, darbas, jų elgesys, kokio įspūdžio darė pati Motina Marija ir kitos, Motiniškame name auklėjančios postulantes ir novicijas. Jų bendros dvasios pavaizdavimui patarnauja kad ir toks faktas. 1918 metų rudenį Amerikoje siautė stipri „flue" epidemija. Medicinos pagalba, ypatingai nuošalesnėse vietose, nebuvo tokia, kokia yra šiandien. Ypatingai mažesniuose miestuose, kaimuose žmonės sirgdavo be jokios pagalbos iš šalies. Mount Carmel buvo ne vienintelė vieta, kur laikinai buvo uždarytos mokyklos. Mount Carmel mokytojaujanti sesuo Juozapa rašo Motinai Marijai, prašydama leidimo, užsidarius mokyklai, ten pasilikti ir slaugyti ligonius. Motina Marija tai ne tik leido, bet pranešė, kad

Chicagoje tokia jų pagalba nėra būtina, tad ir ji pati atvyksianti į Mount Carmel slaugyti ligonius kartu su kitomis seserimis. Kad laikraščiai neparašytų, kur ir kokiu tikslu ji išvyko, tai pakeliui poroje vietų atlankys sergančias seseris ir taip atvyks į Mount Carmel. Buvo ir daugiau seserų, kurios savanoriškai pasisiūlė tokiam darbui — tarnauti ligoniams.

Visuomenės nuotaikas seserų ir kunigo A. Staniukyno atžvilgiu pavaizduoja faktas, kad kunigui A. Staniukynui mirus, Šv. Kazimiero Kongregacijos Seserų vadovaujamų mokyklų — tada aštuonių parapijinių ir savos Šv. Kazimiero Akademijos mokiniai, į tam tikslui padėtas dėželes savais centais sumetė 1,000 dolerių, kurie buvo panaudoti statant kun. A. Staniukyno paminklą, kuris stovi Motiniško namo prieky.

Iš šalies žiūrint, kiekvieni metai atnešdavo vis naujo džiaugsmo — vis daugiau seserų, novicijų, postulančių, naujų mokyklų. Kartu su tuo tačiau ateidavo vis naujų rūpesčių. Aušros Vartų lietuvių parapijos mokykla, perimta iš seserų Nazariečių, davė ir savotiškų rūpesčių. 1914 m. paimta naujai atidaroma Šv. Mykolo parapijos mokykla. 1915 metais mirė arkivyskupas J. E. Quigley, parodęs daug nuoširdaus dėmesio Šv. Kazimiero seserų kongregacijai. Po jo atėjo arkivyskupas G. Mundelein, prieš tai Brooklyne darbavęsis lietuvių Šv. Marijos Apreiškimo parapijoje. Netrukus jis buvo pakeltas į kardinolus. Ir jis Šv. Kazimiero Kongregacijos Seserims parodė ypatingą dėmesį, kad Motina Marija merdėdama galėjo išsitarti turinti amžinybėje du draugus Jurgius: arkivyskupą Jurgį Matulaitį ir kardinolą Jurgį Mundelein.

1916 m. rugpiūčio 24 d. antrą kartą įvyko Generalinės Vyresniosios ir jos tarybos rinkimai.

Generaline Vyresniąja išrinkta vėl Motina Marija šešių metų terminui. Tų metų vasarą Šv. Kazimiero kongregacijos seserys perėmė Šv. Juzapo parapijos mokyklą Scrantone. Ši vieta ir Motinai Marijai, ir kitoms seserims buvo ypač maloni. Nors tada mokyklos čia nebuvo, bet pirmą kartą atvykusi į Ameriką pas savo brolį kun. Antaną Kaupą Kazimiera-Motina Marija toje klebonijoje šeimininkavo. Į šią kleboniją atvyko iš Šveicarijos-Ingenbohl Kazimiera su dviem savo draugėm pakeliui į vienuolyną, kad pasiruoštų pradėti savą vienuoliją.

Daugiau negu būtinas reikalas buvo Motiniško namo padidinimas, būtina didesnė koplyčia, salė, kuriose galėtų tilpti vasaros atostogų metu susirenkančios seserys ir paskaitoms ir rekolekcijoms, ar kai gamta neleisdavo būti lauke. Kun. A. Staniukyno vaizduotė ir užmačiai buvo skirti ne vien seserims. Tiesa, joms, bet ta prasme, kad joms duoti naujo darbo dirvas. Prieš vienuolyną, kitoje gatvės pusėje jis nupirko žemės sklypą ir ant jo pastatė dviaukštį namą su ta mintimi, kad čia bus apgyvendinti Tėvai Marijonai ir įruošta spaustuvė. Jis pats taps marijonu, marijonai atliks seserims kapeliono patarnavimus, redaguos „Draugą", gi seserų novicijos, postulantės, o gal ir seserys padarys visus spaustuvės darbus, išsiuntinės „Draugą". Tačiau į novicijų, postulančių ir seserų įtraukimą į šį darbą, užklausta labai neigiamai pasisakė Motina Cyrilė iš Scrantono, kuri jau nebuvo Šv. Kazimiero Kongregacijos Seserų viršininkė, bet su kurios nuomone kun. A. Staniukynas skaitėsi. Panašūs klausimai ir momentai Motinai Marijai yra atnešę ne vieną skaudžią valandą, tačiau ji viską pergyvendavo išviršiniai ramiai, panašiai kaip ir kun. A. Staniukynas, kad kai kurių kartesnių momentų atminimą randame ne pas sese-

ris, kurios tada gyveno, o tik įsiskaitę į tai, kas yra
išsaugota archyvuose.

Vis tuo pačiu metu kun. A. Staniukynas svajojo
pastatyti netoli vienuolyno našlaityną, kurį aptarnau-
tų seserys. Šios svajonės realizavimo tikslu buvo
sukurta Amerikos Lietuvių Katalikų Labdaros draugi-
ja, kurios valdyboje kun. A. Staniukynas buvo iždi-
ninkas, pats rinko tam lėšas, buvo nupirktas 10 akrų
žemės sklypas. Deja, kunigo A. Staniukyno savęs
nepaisymas skaudžiai baigėsi. Jau 1917 m. jo sveika-
ta taip pablogėjo, kad buvo jau reikalingas ligoninės
pagalbos. Tada nepataikė pakankamai kompetentin-
gą gydytoją, kuris būtų supratęs jo negalės priežastį.
Jį pradėjo jaučiamai ir juo toliau, tuo skaudžiau
varginti džiova. 1918 m. gruodžio 15 d. kunigas A.
Staniukynas mirė. Motina Marija ir visa kongrega-
cija neteko didžiausio rūpintojo. Jis nepaliko šiam
tikslui įpėdinio, o reikalų liko didelių ir būtinų. Kaip
buvo minėta, pradiniame Motiniškame name jau
nepakako vietos seserims gyventi — reikėjo didinti
vienuolyną, bet nebuvo lėšų. Motina Marija užsiminė
apie tai naujam arkivyskupui G. Mundelein, bet nega-
vo net pažado paskolos ar paramos. Nebuvo jokios
organizuotos paramos iš visuomenės. Tik po kiek
laiko kai kurie kunigai ir pasauliečiai suprato reikalą
ir pradėjo Rėmėjų draugiją. Praėjo tačiau ne vieni
metai, kol buvo galima pradėti naują statybą. Anų
metų lietuviai buvo neturtingi, turėjo statyti bažny-
čias, mokyklas. Ne daug kam rūpėjo, kaip gyvena tos
seserys vienuolės, kurių pagalbos šaukėsi vis daugiau
ir daugiau lietuvių parapijų. Žmonių pagalbą
pavaizduoja sesers Anastazijos pasakojimas, kaip jos
— jaunos vienuolės apsiverkė iš džiaugsmo, kai viena-
me Rėmėjų metiniame seime buvo suaukota trys
šimtai dolerių. Reiškia, žmonės mus jau remia. Tačiau

namo praplėtimui, koplyčiai, salei reikėjo dešimčių, o gal kelių šimtų tūkstančių dolerių, reikėjo ir pavalgyti, ir apsirengti. Ir šiandien įdomu pamatyti tuos „miegamuosius", kur miegodavę seserys, novicijos, postulantės ir vasaros karščių, ir žiemos šalčių metu. Reikia pripažinti, kad tais laikais šiose sąlygose gyvenusių ir dirbusių dabar dar gyvų seserų ne tik negirdime pasipasakojančių, bet sunku ką nors išklausti. Jos laiko tai savo pašaukimo ir misijos beveik natūralia ano laiko pasėka. Pati Motina Marija turėjo būti ir buvo pavyzdžiu, kaip visa tai giedriai pergyventi.

MISIJA LIETUVOJ

Tuo pačiu metu iškilo nepramatytas klausimas, kuris pačioms Šv. Kazimiero Kongregacijos seserims būtų kilęs jau subrendus gyvenime ir veikloje Amerikoje. Vos besikuriant laisvai nepriklausomai Lietuvai, Kauno vyskupas Pranciškus Karevičius kreipėsi į Chicagos arkivyskupą Mundelein, prašydamas atsiųsti į Lietuvą Šv. Kazimiero Kongregacijos seseris, kad ten pradėtų savo misiją. Tačiau arkivyskupas G. Mundelein nenorėjo apie tai nė girdėti. Dar pačioje Chicagoje keturiose lietuvių parapijų mokyklose mokytojavo seserys Nazarietės. Nors tarpe jų buvo ir lietuvaičių vienuolių, bet lietuviai klebonai ir vaikų tėvai prašė ir laukė lietuvaičių Šv. Kazimiero Kongregacijos seserų. Tėvai neduodavo klebonams ramybės vis kalbėdami, kad jie nori, kad jų vaikus mokytų „mūsų seserys". Tie žodžiai pasiekdavo ir Nazarietes seseris. Jos pačios nenorėjo pasilikti mokyklose, kur yra tokia žmonių nuomonė.

Nežinia, ar taip buvo, ar ne, bet Motna Marija rašo, kad kun. Pranciškus Būčys, kuris po kun. A.

Staniukyno kapelionavo Šv. Kazimiero kongregacijos seserų Motiniškame name, aniems Lietuvoje pataręs kreiptis tuo reikalu į Romą. Kaip ten bebuvo, bet 1919 m. arkivyskupas G. Mundelein gavo iš Romos — iš Vienuolių kongregacijos — pasiteiravimą apie Šv. Kazimiero Seserų Kongregacijos būklę. 1920 m. vasarą Chicagos arkivyskupas G. Mundelein gavo iš Romos Vienuolių Kongregacijos patvarkymą, kad bent kelios Šv. Kazimiero Kongregacijos seserys vyktų į Lietuvą ten pradėti savo misiją. Tada arkivyskupas G. Mundelein jau nekliudė, o liepė Motinai Marijai paruošti nors keturias seseris vykti į Lietuvą. Tuoj atsirado savanorių, tačiau Motina Marija kartu su savo patarėjomis sprendė, kurios vyks. Buvo paskirtos šiai misijai seserys Immaculata-Dvaranauskaitė, Anna Maria Rakauskaitė, Angela Braškaitė ir Katarina Balčaitytė.

Pasiruošusios, apsirūpinusios kuo galėjo, ir pačios Motinos Marijos lydimos, 1920 m. rugsėjo 3 d. jos penkios išvyko iš Chicagos. Tvarkyti kongregacijos reikalus Amerikoje liko Motinos Marijos pirmoji patarėja. Vykdamos į Lietuvą, seserys gerai žinojo, kokios sąlygos buvo tuo metu Lietuvoje, bet, kaip Motina Marija sako savo užrašuose, keliavo į tėvynę Lietuvą dėkodamos Dievui už tą privilegiją, kad galės patarnauti lietuviams jų tėvynėje. Nors apie jų atvykimą Kaune visi žinojo, vyskupas net pasiuntė kunigą J. Meškauską jas palydėti iš Amerikos į Kauną, bet kokios nors paruoštos joms vietos Kaune jos nerado. Buvo pasiūlyta kurtis „Saulės" namuose, kur veikė mišri gimnazija ir mokytojų seminarija, bet ir čia nebuvo kambarių gyvenimui. Motinai Marijai ir jos draugėms seserims atrodė, kad „Saulės" namai iš viso netinka vienuolyno pradžiai ir tolimesniam gyvenimui, kur turės būti ir postulantės, ir novicijos. Buvo pasiūlytas Pažaislis. Ten nuvykusios rado bažnyčią be stogo ir be langų, viduje ne tik apleistą, bet ir apgriautą, namai taip pat apleisti, apgriuvę. Tik keliuose kambariuose vietos savivaldybės tarnautojai buvo šiaip taip įsiruošę „raštinę" ir arbatinę. Vistiek tačiau buvo apsispręsta čia sustoti ir pamažu tvarkytis. Pati pirmoji pagalba kasdieniniais būtinais daiktais — pasiklojimu, užsiklojimu — buvo gauta iš Amerikos Raudonojo Kryžiaus atstovybės.

KVIETIMAS Į VILNIŲ

Atvykus į Kauną pirmomis dienomis buvo gautas iš Vilniaus arkivyskupo Jurgio Matulaičio kvietimas atvykti į Vilnių. Dvi — Motina Marija ir sesuo Immaculata — tuoj išvyko į Vilnių. Čia buvo svetingai priimtos ir parodytas vienuolynas, nepalyginamai geriau tinkantis gyventi, negu tada Pažaislio vienuolynas. Tačiau, vieną dieną pasimeldusios prie šv. Kazimiero kapo ir išėjusios iš katedros, pastebėjo mieste kažkokią paniką, bėgiojimą su ryšuliais. Pasiekusios arkivyskupo rezidenciją, sužinojo, kad lenkai veržiasi į Vilnių, lietuviai traukiasi iš Vilniaus. Ir joms buvo patarta skubiai išvykti. Nedelsdamos nuvyko į geležinkelio stotį, šiaip taip įsispaudė į prisigrūdusį traukinį, važiuojantį iš Vilniaus, ir tą trumpą nuotolį nuo Vilniaus iki Kauno keliavo iki rytojaus vėlyvo ryto. Taip baigėsi patikrinimas, ar būtų galima kurtis Vilniuje ir tokiose sąlygose pradėjo kurtis Kaune.

Motina Marija su kitomis keturiomis, atvykusiomis su ja iš Chicagos, apsigyveno Pažaislyje ir čia kasdien sunkiai dirbo, tvarkydamos būsimą vienuolyną. Pagalbos kreipėsi ir į valdžią, ir į vyskupą, tačiau tada buvo sunku ką nors gauti. Motina Marija kartu su kitomis dirbo Pažaislyje beveik du metu — iki 1922 m. liepos mėnesio.

ATGAL Į AMERIKĄ.
VĖL PERRENKAMA
GENERALINE VYRESNIĄJA

Motiną Mariją šaukė kongregacijos reikalai atgal į Ameriką. Išvyko iš Kauno liepos mėnesį, palikdama jau gerokai aptvarkytame Pažaislyje keturias, su kuriomis prieš du metus buvo atvykusi iš Amerikos, ir jau 20 novicijų — Lietuvos jaunų lietuvaičių. Kaip vėliau, 1932 m., dedikuojant Villa Joseph Marie, Newtown (dabar Holand), Pa., Philadelphijos arkivyskupas kardinolas Dennis Daugherty išsireiškė, paprastai iš visos Europos kraštų vyksta kunigai ir vienuoliai, vienuolės pradėti savo misiją Amerikoje, o lietuvaitės tuo pačiu tikslu išvyko iš Amerikos į Lietuvą.

Tų pat 1922 metų rugpiūčio mėnesį susirinko Chicagos Motiniškame name Kongregacijos Generalinė Kapitula išrinkti naują kongregacijos vadovybę. Generaline Vyresniąja vėl perrinkta Motina Marija.

Matomai, visuomenė parėmė Šv. Kazimiero seserų kongregacijos Motiniško namo praplėtimą, naujos koplyčios ir salės statybą, kad 1924 metais darbas

132

buvo pradėtas ir 1925 m. baigtas. Naujus pastatus pašventino arkivyskupas kardinolas G. Mundelein. Buvo labai didelės iškilmės, dalyvavo keli tūkstančiai žmonių, vyrų ir moterų chorai, orkestrai. Marquette Road buvo tris valandas uždarytas judėjimui. Taip baigėsi labai aktualus ir didelis Motinos Marijos ir visų seserų rūpestis.

ŠVENTO KRYŽIAUS LIGONINĖ

Chicagos arkivyskupas kardinolas G. Mundelein nepatarė Amerikos Lietuvių Katalikų labdaros draugijai statyti kun. A. Staniukyno numatytos našlaičiams prieglaudos. Kardinolui atrodė, kad lietuvių vaikų neatsiras tiek be šeimyninės globos, kad jiems būtų reikalingi globos namai. Jis patarė verčiau pirma susirūpinti ligoniais ir globos reikalingais seneliais. Taigi 1927 m. pradėta statyti dabartinė Švento Kryžiaus ligoninė, dabar vadinama senoji dalis, penkių aukštų pastatas prie 69-tos gatvės ir California Avenue. Jos statybai kardinolas G. Mundelein paskolino 300,000 dolerių. Ją baigtą kardinolas G. Mundelein pašventino 1928 m. lapkričio 4 d. Šv. Kazimiero Kongregacijos seserys sutiko ją administruoti ir aptarnauti, pradžioje paskirdamos ten darbuotis 28 seseris.

Motinai Marijai rūpėjo ir misija Lietuvoje. Laiškais susiekimas buvo nuolatinis. Nepaisant neišmokėtų skolų už savus naujus pastatus Chicagoje, misija Lietuvoje buvo remiama medžiaginiai. 1927 m. vasarą

Motina Marija vyko į Lietuvą kartu su seserim Concepta. Po septynių metų nuo pirmo atvykimo į Lietuvą su kitomis keturiomis seserimis dabar Pažaislyje buvo jau apie šimtas seserų. 1928 m. rugpiūčio mėn. vėl renkasi Chicagoje Motiniškame name Kongregacijos Generalinė Kapitula. Švento Kazimiero Kongregacijos seserys darbuojasi jau 25 mokyklose aštuoniose diecezijose, savo Švento Kazimiero Akademijoje, sutikusios aptarnauti baigiamą statyti Švento Kryžiaus ligoninę, jau besidarbuojančios Lietuvoje. Jau buvo seserų, pasireiškusių įvairiais gabumais, įsigijusių mokytojų ir kitokius diplomus. Renkant naują vodovybę, Motina Marija vėl perrenkama Generaline Vyresniąja šešiems metams. Šiai jau trečiai kadencijai reikėjo Romos sutikimo, nes pagal patvirtintą konstituciją ta pati Generalinė Vyresnioji gali būti tik dvi kadencijas. Kardinolui G. Mundelein rekomenduojant, Romos sutikimas — patvirtinimas buvo gautas.

VIENUOLIJOS SIDABRINIS
JUBILIEJUS IR VILLA
JOSEPH MARIE

Atėjo Motinai Marijai ir visai kongregacijai reikšmingi ir turiningi 1932 metai. Pirmosios trys: Marija, Immaculata ir Concepta minės savo pirmųjų vienuolinių įžadų 25 metų sukaktį. Motiniškame name vyko iškilmingas tos sukakties minėjimas. Kardinolas G. Mundelein buvo išvykęs, šv. Mišias aukojo Rockfordo vyskupas Edward Hoban, pamokslą sakė jau vienintelis iš trijų Antanų — Motinos Marijos pirmųjų inspiratorių ir talkininkų — kunigas Antanas Milukas. Motina Marija gavo daug visokių sveikinimų, dovanėlių. Visa tai ji priėmė dėkingai, bet ramiai, kaip visus kitus ikšiolinius jos kongregacijos įvykius. Panašus paminėjimas vyko ir Lietuvoje. Prieš 24 metus pradėjusios savo vienuolišką darbą Mount Carmel su 77 vaikais, dabar savoje Šv. Kazimiero Akademijoje ir parapijų mokyklose darbuojasi jau 197 seserys, kitos 28 darbuojasi Švento Kryžiaus ligoninėje, jau yra išaugusi misija Lietuvoje.

Tų pačių 1932 metų vasarą pašventinta rytuose,

Newtown (dabar Holland), Pa., Philadelphijos arkidiecezijoje naujai įsigyta Villa Joseph Marie tikslu ten įsteigti mergaitėms High School ir bendrabutį. Dalyvaujant didelei miniai lietuvių, naują vietą pašventino Philadelphijos arkivyskupas kardinolas Dennis Daugherty ir šia proga jis pasakė apie Šv. Kazimiero Kongregacijos seseris kiek anksčiau minėtus žodžius. Šiai vietai taip pat reikėjo nemažo skaičiaus gerai paruoštų mokytojų seserų, bet kongregacija jų jau turėjo.

Visi šie laimėjimai teikė Motinai Marijai daug džiaugsmo, bet kartu didino rūpesčius ir darbus: vis daugiau įvairiausių asmeninių reikalų su pavienėmis seserimis, vis platesnė korespondencija, vis daugiau lankytinų vietų. O Motina Marija buvo labai uoli ir gausi atsiliepti asmeniniais, kiekvienai seseriai atskirai, ir visoms bendrais laiškais.

LIETUVOS VYRIAUSYBĖS
DĖMESYS — GEDIMINO ORDINAS

Paminėtini ir 1933 metai, kai ir Lietuvos vyriausybė atkreipė dėmesį į Švento Kazimiero Kongregacijos seserų veiklą, ką jos duoda lietuvių visuomenei Amerikoje, kaip vystosi, ką veikia jos Lietuvoje. Malonu ir dabar tai prisiminti, kad Lietuvos vyriausybė parodė, jog visa lietuvių visuomenė įvertina tai, kuo prisidėjo ir ką davė Švento Kazimiero Seserų Kongregacijai Scrantono Marijos Nekaltos Širdies Tarnaičių Kongregacija. Lietuvos vyriausybės vardu ir Motina Cyrilė, ir Motina Marija buvo pagerbtos Gedimino ordinu. Joms abiem, o ypač Motinai Marijai buvo malonu, kad visuomenė jų darbus stebi ir teigiamai įvertina.

Tą pačią vasarą Motina Marija ir su ja kitos seserys parodė, kaip plačiai jos žiūri į gyvenimą. Vis daugiau lavinosi savo srityje tam tinkančios seserys ne tik Amerikoje, o seserys Teofilė ir Ignacija siunčiamos studijoms į Lietuvą — į Vytauto Didžiojo universitetą Kaune. Kitos seserys, kurios vasaros metu nestudijavo universitetuose ar kitur, daugiausiai važiuodavo katekizuoti tuos lietuvių ir kai kur ir nelietuvius vaikus, kurie lankė ne katalikiškas, o viešąsias mokyklas.

MOTINOS MARIJOS BLOGA
SVEIKATOS SAVIJAUTA

1933 metų vasarą Motina Marija pasijuto taip negerai, kad patikrinti sveikatą nuvyko į Mercy ligoninę, kuri Chicagoje buvo jau išgarsėjusi. Čia išlaikytai kelis mėnesius, gydytojai pasakė, kad jų nuomone ji serganti vėžiu, kuris esąs jau tiek išsivystęs, kad gyventi jai lieka tik keli metai. Grįžusi į vienuolyną, kiek atsigavusi po ligoninės tyrimų, išvyko į rytus lankyti savo seserų misijas. 1934 m. rugpiūčio mėn. vėl šešiametė Kongregacijos Generalinė Kapitula. Šį kartą dalyvauja atstovė ir iš Lietuvos misijos — jauna sesuo Genovaitė (Elena Natkevičiūtė). Kapitula vėl išrenka Generaline Vyresniąja Motiną Mariją. Vėl reikalingas Romos sutikimas, kurį, arkivyskupo kardinolo G. Mundelein rekomendacija, Roma suteikia.

ATGAL Į LIETUVĄ.
NEMALONI ŽINIA

Po Kapitulos Motina Marija kartu su seserim Vincenta ir su iš Lietuvos atvykusia į Kapitulą sesele Genovaite išvyksta į Lietuvą. Buvo numatyta seserį Vincentą palikti Lietuvoje vietoje ten buvusios sesers Angelos, o sesuo Angela turėjo grįžti į Ameriką. Atvykę į Lietuvą, rado nelauktą naujieną. Kauno naujasis arkivyskupas Juozas Skvireckas pareiškė Motinai Marijai, kad jis, pasiremdamas kardinolo G. Mundelein laišku, steigia atskirą savarankišką Švento Kazimiero Seserų Kongregaciją, nepriklausomą Švento Kazimiero Seserų Kongregacijai Chicagoje. Motinos Marijos nuomonė jo nepaveikė, jis liko prie savo pareikštos nuomonės. Motina Marija kartu su seserim Vincenta grįžo į Chicagą. Lietuvoje pasiliko studijas baigti seserys Ignacija ir Teofilė, o sesuo Angela atsisakė klausyti Motinos Marijos ir ją arkivyskupas paskyrė Šv. Kazimiero Seserų Kongregacijos Lietuvoje vyresnąja.

Motina Marija nesulaukė to jai labai nemalonaus įvykio pabaigos, kuris baigėsi ne taip, kaip ji paliko išvykdama iš Lietuvos. Tokį žingsnį, kokį bandė padaryti arkivyskupas Juozapas Skvireckas — atskirti misiją nuo esančios kongregacijos ir įsteigti naują, pirmosios nepriklausomą, net neatsiklausus jau veikiančios misijos seserų sutikimo, nebuvo nei Chicagos, nei Kauno arkivyskupų kompetencijoje. Lietuvos lietuvaitės Šv. Kazimiero Seserų Kongregacijos narės, išgirdusios tokią naujieną, subruzdo. Skundai pasiekė Apaštališką Nunciatūrą Kaune, iš čia — Romą. Reikalą ištirti buvo paskirtas Apaštališkas Vizitatorius vyskupo Pranciškaus Būčio asmenyje. Vizitacijos medžiaga buvo persiųsta į Romą. Iš Romos atėjo sprendimas, kad Šv. Kazimiero Seserų Kongregacijos misija išimama iš Kauno arkivyskupo J. Skvirecko jurisdikcijos, o paliekama vysk. P. Būčio jurisdikcijoje. Sesuo Angela iš vienuolijos nepašalinta, bet palikta be vad. aktyvaus ar pasyvaus balso, t.y. negali būti renkama kokioms nors pareigoms, nei dalyvauti rinkimuose. Po eilės susirašinėjimų su Roma arkivyskupui J. Skvireckui grąžinta jurisdikcija į Šv. Kazimiero Seserų Kongregacijos misiją Lietuvoje. Jeigu pačios seserys nori ir arkivyskupas pritaria steigti naują vienuoliją, tai turi pasirinkti kitą skirtingą vardą, padaryti pakeitimų uniformoje ir paruošti skirtingą konstituciją. Šiuos visus pakeitimus turėjo patvirtinti Roma ir Šv. Kazimiero Seserų Kongregacijos misija Lietuvoje. Po minėtos Apaštališkos Vizitacijos ir Romos atsakymo arkivyskupas J. Skvireckas nieko nedarė naujos kongregacijos steigimui. Nieko nedarė nei pačios seserys, nei tos kelios, jeigu tokių buvo, kurios pritarė ar buvo bent nepriešingos sesers Angelos bandymui. Lietuvą 1940 m. birželio 15 d. okupavo rusai, vienuolių viešas gyvenimas tapo negalimas ir tokioje būklėje liko bandymas sukurti naują kongregaciją iš Šv.

Kazimiero Seserų Kongregacijos misijos Lietuvoje. Nors Motina Marija savo užrašuose šią paskutinę kelionę pamini tik keliais žodžiais, bet savaime aišku, kaip ji tai pergyveno. Tai galėjo būti pats skaudžiausias įvykis, ką ji patyrė savo vienuoliniame gyvenime. Visa tai ji priėmė labai ramiai, viską palikdama Dievo valiai. Reikia manyti, ji žinojo, kad arkivyskupo J. Skvirecko jai pasakytas sprendimas nebuvo įvykdytas.

1936 m. šventė 25 metų sukaktį Švento Kazimiero Akademija. Pradėta su mažu būreliu, dabar jau 300 studenčių. Šios sukakties iškilmių ypatinga viešnia buvo Motina Cyrilė iš Scrantono. Ji pirmą kartą pamatė ir vienuolyną — Motinišką namą, ir dabartinę koplyčią, salę, ji žinojo, kiek Šv. Kazimiero Kongregacijos seserys aptarnavo parapijinių mokyklų, čia pamatė mokyklą prie Motiniško namo, seserų patarnaujamą ir administruojamą Švento Kryžiaus ligoninę. Turėjo būti Motinai Cyrilei ir įdomu, ir malonu matyti, kaip išaugo tas dar neseniai jos namuose Scrantone auklėtas mažas būrelis.

Įvykiai Lietuvoje neatšaldė Motinos Marijos nei nuo Lietuvos, nei nuo ten pradėtos ir besivystančios misijos. 1936 m. vasarą ji siunčia dvi Amerikoje gimusias seseris: Perpetuą ir Rosaritą studijuoti į Vytauto Didžiojo universitetą Kaune.

MISIJA NELIETUVIŲ TARPE

1937 metų vasarą išsipildė dar viena Motinos Marijos svajonė. Ji turėjo vilties, kad kada nors Šv. Kazimiero Kongregacijos seserys darbuosis ne vien lietuvių tarpe. Šiuo metu eilėje lietuvių parapijų mokytojavo jau ir kitos lietuvaitės vienuolės — Nukryžiuoto Jėzaus — Pasijonistės ir Šv. Pranciškaus kongregacijų seserys. Turbūt Šv. Kazimiero Seserų Kongregacijos vystymasis ir darbai paragino lietuvaites išeiti iš kitų ne lietuvių vienuolynų ir susiburti į naujai sukurtas savas kongregacijas (apie 1924 metus). 1937 m. Šv. Kazimiero Seserų Kongregacija buvo paprašyta paimti nors porą misijų Rosewell, N. M. vietovėje. Seserys sutiko, nereikėjo įsakyti kuriai nors ten vykti, atsirado savanorių. Ten nuvyko prieš tai nepatikrinusios, pasitikėdamos informacija vieno vietinio vienuolio, kuris toje vietoje darbavosi. Nuvykusios nusigando, bet nepabėgo. Rado tik nešvarias, vietomis apardytas sienas. Kol savo rankomis apsitvarkė, seserys ilgoką laiką gyveno tikrose misijų sąly-

143

gose, pačios turėjo pasirūpinti ir ką pasikloti, ir kuo apsikloti, pačios ne tik valydamos, bet ir taisydamos sienas, grindis.

1938 m. kongregacija minėjo Motinos Marijos viršininkavimo 25 metų sukaktį. Formalus minėjimas vyko vasaros metu, kai seserys buvo susirinkę iš misijų. Šios šventės proga Chicagos arkivyskupas kardinolas G. Mundelein yra pasakęs Motinos Marijos adresu tokią panegyriką, kurios klausytis tai kukliai vienuolei nebuvo malonu. Ji tačiau vienodai ramiai pergyvendavo ir nemalonumus, ir sekmę, ir panašius pagyrimus. Viską darydama Dievo planams kaip jo įrankis, viską ramiai jam aukodavo.

LORETTO LIGONINĖ

1938 m. vasarą kardinolas G. Mundelein paprašė Motiną Mariją, kad Šv. Kazimiero kongregacijos seserys paimtų vieną, prieš 17 metų statytą, perėjusią iš vienų rankų į kitas ir dabar subankrutavusią ligoninę Chicagos vakarinėje dalyje, dabar žinomą Loretto ligoninės vardu. Nors ir nebuvo seserų, neužimtų mokyklose ar Švento Kryžiaus ligoninėje, tačiau nebuvo kaip atsisakyti — Motina Marija su savo patarėjomis šį siūlymą priėmė. Kadangi ši žinia kongregacijai buvo paskelbta Loretto namelio minėjimo, gruodžio 10 d., tai ir ligoninė buvo pavadinta tuo vardu. Trūko virš mėnesio laiko, kol seserys, dirbdamos dienomis ir naktimis, pačios nuvalė šios ligoninės sienas, išvalė ir sutvarkė apleistus kambarius ir koridorius. 1939 m. sausio mėn. ligoninė buvo pašventinta ir atidaryta ligoniams. Tik pradėdama darbą, ligoninė neturėjo jokių išteklių pasamdyti personalo tiek, kad būtų kam atlikti įvairius darbus, slaugyti ligonius. Daugiausia darbų turėjo padaryti pačios seserys. Kiek to darbo buvo, galima suprasti iš fakto, kad tais pirmais metais per ligoninę perėjo virš 4,000 pacientų.

MOTINOS MARIJOS SVEIKATA
— SESERIMS TAMSUS RŪPESTIS
MOTINOS MARIJOS MIRTIS

1939 m. vasarą Motinai Marijai lankant seseris ir mokyklas rytuose, mirė Chicagos arkivyskupas kardinolas G. Mundelein. Gavusi šią žinią, Motina Marija grįžo į Chicagą dalyvauti kardinolo laidotuvėse. Jinai atrodė taip išvargusi, kad seserys stengėsi sulaikyti ją namie, neleisti toliau lankyti mokyklas, bet ji neklausė ir po laidotuvių vėl išvyko. Tačiau sveikata greitai silpnėjo. Baigusi lankymą, parvyko namo jau labai išvargusi. Baigėsi vasara, ir Motinos Marijos sveikata neatsigavo, tačiau ji to nepaisė, buvo įprastai veikli ir visada geroje nuotaikoje. 1940 m. sausio 6 d. buvo Motinos Marijos 60-sis gimtadienis. Iš visos Chicagos seserys susirinko į Motinišką namą atšvęsti tos sukakties. Motina Marija buvo tokioje geroje nuotaikoje, kad jai sakant, kad šis gimtadienis yra paskutinis su jomis, visos seserys tuo netikėjo. Tačiau po dviejų savaičių ji buvo nuvežta į Mercy ligoninę, kur po tyrimų gydytojai pasakė, kad jos sveikatos stovis yra beviltiškas. Buvo parvežta į Švento Kryžiaus ligoninę, bet ir iš čia po poros savai-

146

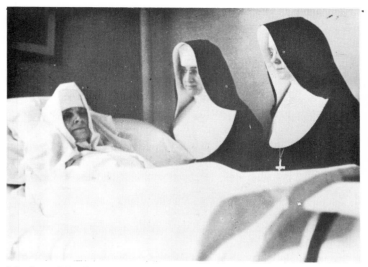

Motinos Marijos mirtis 1940 m. balandžio 17 d. Prie jos lovos
Sesuo Elena ir Sesuo Juozapa

čių buvo parvežta į Motinišką namą, kadangi ligoninė
jau negalėjo jai nieko padėti. Čia ją slaugė seserys.
Jos negalėjo atspėti kiek skausmų Motina
Marija kenčia — su visais buvo linksma, niekad
nesiskundė. Kelias dienas prieš mirtį ją aplankė
naujas Chicagos arkivyskupas Samuel Stritch, atvy-
ko iš Scrantono jos auklėtoja Motina Cyrilė su kita
seserim Immaculata. Motina Marija buvo su visais
linksma, niekuo nesiskundė. Savo slaugei seseriai ji
sakėsi esanti laiminga ir dėkinga Dievui už tokią ligą,
kuri duoda laiko pasiruošti mirčiai, pakentėti už
nuodėmes.

Balandžio 17 d. seserys buvo pašauktos į ligonės
kambarį, su jomis buvo ir Motina Cyrilė su savo paly-
dove. Gydytojai sakė, kad Motina Marija jau mirš-
tanti. Buvo pilnoje sąmonėje, kartais ištardavo
maldos žodį, bet vėliau sustojo kalbėjusi. Iš lūpų atro-

147

dė, kad ji, ar tai kalbanti kartu seserų garsiai kalbamas maldas, ar meldėsi pati viena, pusiau ar visai užsimerkusi. Kartais plačiai atverdavo akis ir vėl užsimerkdavo. Veide pasirodė šypsenos išraiška. Klausiama, ko šypsosi, nieko neatsakė. Apie 9 valandą vakare ji mirė. Paskutines dienas ją slaugiusi sesuo yra detaliai aprašiusi, minutę po minutės, kaip Motina Marija ruošėsi mirčiai ir kaip mirė. Ją pašarvotą lankytojų kambaryje dvi dienas lankė daug žmonių. Trečios dienos vakare palydėta į vienuolyno koplyčią. Balandžio 22 d. šv. Mišias atnašavo vienuolijos kapelionas kunigas B. Urba, dalyvaujant arkivyskupui Samuel Stritch ir Rockfordo vyskupui E. Hoban. Į kapus Švento Kazimiero kapinėse palydėjo tūkstantinė žmonių minia. Karstą nešė dr. P. Daužvardis — Lietuvos konsulas, Leonardas Šimutis, advokatas Juozas Grišius ir Claire Driscoll. Seserys raminosi tik pačios Motinos Marijos dažnai kartojamais žodžiais: Teesie Tavo valia.

Motina Marija — Kazimiera Kaupaitė nepaliko kokio nors viena tema parašyto veikalo. Jeigu ji ir būtų turėjusi tam talento, tai jos pareigos to neleido. Nuo pat pirmųjų vienuolinių įžadų dienos ir visą jos gyvenimą visas jos dėmesys ir laikas buvo skirtas savo kongregacijos reikalams. Mokslo metu ji lankydavo seseris, besidarbuojančias mokyklose, atostogų metu būdavo Motiniškame name, kad kiekviena sesuo norėdama galėtų asmeniškai pasikalbėti. Buvo labai uoli rašyti laiškus. Daug jų rašė įvairiomis progomis, skirtų visoms seserims, o dar daugiau asmeniškai pavienėms seserims, įvairiausiais reikalais, klausimais. Šie jos laiškai labai daug padėjo suformuoti Šv. Kazimiero Seserų Kongregacijos ir pačių seserų dvasią bei charakterį. Daug tų laiškų yra išlikusių ir surinktų į leidinį ir ateityje bus seserų skaitomi ir apmąstomi. Ir apie Motiną Mariją galima pasakyti, kad prisiminimas didžių sielų gyvuosius moko, uždega, drąsina.

Motinos Marijos mirties žinia neapsiriboja tik vienuolynu ir Chicaga. Esant Motinai Marijai dar gyvai buvo išsiųstas, bet Chicagą pasiekė jai jau mirus, popiežiaus Pijaus XII palaiminimas, matomai, apie jos ligą pranešus ir palaiminimo prašant Chicagos arkivyskupui Samuel Stritch. Kongregacijai užuojautos pareiškimai buvo gauti laiškais iš arkivyskupo Amletto Cicognani — Apaštališko delegato Washingtone, iš Philadelphijos arkivyskupo kardinolo D. Daugherty, Springfield, Ill. vyskupo James Griffin, Santa Fe arkivyskupo Gerkin, Harrisburgo vyskupo S. L. Leech, iš Lietuvos vyriausybės, Telšių vyskupo pagelbininko V. Borisevičiaus, Švento Kryžiaus Seserų Kongregacijos, Ingenbohl — Šveicarijos, Marijos Nekaltos Širdies Tarnaičių Kongregacijos, Scranton, Pa., daug laiškų iš įvairių asmenų, organizacijų. Chicagos miesto meras Edward Kelly ir daug įvairių pareigūnų arba atlankė mirusiąją, arba palydėjo į kapus, arba atsiuntė užuojautos laiškus.

Motinos Marijos laidotuvės Chicagoje, Šv. Kazimiero kapinėse

MOTINOS MARIJOS PALIKIMAS

Motinos Marijos gyvenimo ir vienuoliško pasišventimo matomas rezultatas liko jos pradėta Šv. Kazimiero Seserų Kongregacija, turinti jos mirties dieną 342 seseris, besidarbuojančias 29 parapijų pradžios mokyklose, savose trijose Aukštesnėse mokyklose (High Schools), savoje Loretto ligoninėje ir administruojančias bei aptarnaujančias Švento Kryžiaus ligoninę, jau tvirtą ir gausią nariais misiją Lietuvoje. Liko vienas neįvykdytas Motinos Marijos užsimojimas — atsiųsti seseris į Argentiną, ten darbuotis lietuvių tarpe. Šis jos pasiryžimas ir pažadas buvo išpildytas jos pažadėtu laiku — sekančiais, 1941 metais. Ten dabar Šv. Kazimiero Kongregacijos seserys darbuojasi Buenos Aires, Rosario, Cordoba, ten turi ir novicijatą. Jos sėkmingai darbuojasi ne tik lietuvių tarpe, bet pasišventusiai misijonieriauja ir vietinės liaudies tarpe.

Apie Motinos Marijos palikimą Amerikos lietuvių visuomenei tik skaitlinės ne daug ką pasako. Apie tai galėtų daugiau pasakyti buvę jos mokiniai, mokinės, kaip arkivyskupas Povilas Marcinkus, didelis skaičius diecezinių ir vienuolių lietuvių kunigų, seserų auklėtos lietuvaitės ir nelietuvaitės, tapusios vienuolėmis toje pačioje ar kitose vienuolijose, pasaulietės — Angelė Šimutienė, Marija Rudienė ir kitos Lietuvos vyčiuose ir kitur. Tačiau šiais keliais žodžiais nepasakoma beveik nieko iš to, ką Šv. Kazimiero Kongregacijos seserys iki šiol davė Amerikos lietuvių visuomenei tautinio, bendrai kultūrinio, moralinio. Niekas ir niekad neištirs ir neįvertins, ką Šv. Kazimiero Kongregacijos seserys yra davę Amerikos visuomenei. Kai Motina Marija pradėjo savo darbą Mount Carmel parapijos mokykloje, Amerika gyveno dar tik 132 nepriklausomo gyvenimo metus. Nuo tada iki dabar Šv. Kazimiero Kongregacijos išgyventi metai yra žymi Amerikos istorijos laiko dalis. Jeigu tik viena Maria High School Chicagoje turi kasmet 1200-1400 studenčių, tai per visas tas mokyklas, kuriose Šv. Kazimiero Kongregacijos seserys darbavosi iki šiol, perėjo impozantiškas skaičius jaunų Amerikos piliečių. Kas šiandien Amerikos visuomenėje yra gero, Šv. Kazimiero Kongregacijos seserys labai pagrįstai gali pretenduoti į savo įnašą.

MOTINOS MARIJOS PALIKTI ĮSPŪDŽIAI

Motinos Marijos laidotuvių proga Chicagos arkivyskupas Samuel Stritch kalbėjo koplyčioje po šv. Mišių, prieš išlydint į kapus: „Jos asmeninis darbas yra baigtas. Pasiliekančios jos seserys įeis į Bažnyčios istoriją, jos minės ją, jos asmenybė atsispindės jose ir pasiliks visiems laikams".

Po trijų metų nuo Motinos Marijos mirties, 1943 m. balandžio 9 d., tas pats Chicagos arkivyskupas yra patvirtinęs maldą prašymui, kad Dievas padėtų Motiną Mariją paskelbti palaimintąja.

Santa Fe, N.M. arkivyskupas Gerken, kuris asmeniškai pažinojo Motiną Mariją, parašė: „Visi tepasiguodžia jos gražiu charakteriu ir šventu gyvenimu".

Chicagos arkidiecezijos vikaras vienuolių reikalams Tėvas John Ilg, O.F.M. parašė: „Ji buvo vienuolė auksinio charakterio, giliai nusižeminusi, išmintinga, teisinga, rami ir heroiškai gailestinga. Nestebėtina, kad jos seserys vėl ir vėl ją perrinkdavo savo Generaline Vyresniąja — iki jos mirties, Šventajam Sostui tai vis patvirtinant".

Kunigas Kazimieras Matulaitis, M.I.C., kelis metus buvęs Šv. Kazimiero Seserų Motiniškame name kapelionu ir asmeniškai pažinęs Motiną Mariją, ją lankęs paskutinėmis jos gyvenimo dienomis, taip ją vaizduoja: „Savo gyvenimo vakare, išblėstant vilčiai sulaukti dar vieno rytojaus, ji giliai atsidusdavo. Per skausmo ašaras ji žvelgė į savo mylimas seseris — į seseris, kurios yra pasiryžę kartu su ja dalintis ir žemės skausmais, ir amžinybės atlyginimu — tyliai ištarė savo paskutinį patarimą: aukokitės... aukokitės... aukokitės geriems darbams. Semkitės stiprybės iš kentėjimų... Būkite klusnios, klusnumas viską nugali. Šie žodžiai buvo vos girdimi, slopinami kančios, tačiau žadiną didvyrišką pasiryžimą tesėti šį paskutinį jos pageidavimą. Savo pavyzdžiu ji geriau mokė seseris pamaldumo, negu galėtų tai padaryti daugelis savo mokytais žodžiais".

Kunigas B. Urba, po kunigo K. Matulaičio buvęs Motiniško namo kapelionas ir buvęs prie Motinos Marijos jai mirštant, pavaizdavęs jos veiklą, laimėjimus, užbaigia: „Ji baigė žemišką gyvenimą palaimintoje ramybėje, sakydama: Visagalis Dievas buvo per visą mano gyvenimą nepaprastai man geras. Kokį gilų ir nuoširdų dėkingumą čia matome. Matome širdį nesirūpinančią savimi, o su visišku pasitikėjimu atidavusią save Sutvėrėjui".

Yra gražus skaičius dar gyvų lietuvių kunigų, Šv. Kazimiero Kongregacijos seserų mokinių, kurie turėjo progos arčiau pažinti Motiną Mariją. Po kelis žodžius nors dviejų iš jų.

Kunigas Stasys Valuckas, jų mokinys, miręs jaunas 1955 m. gruodžio 17 d., kelis paskutinius gyvenimo metus buvęs Motiniško namo kapelionas, savo įspūdį taip pasako: „Ypatinga kantrybė ir pasišventimas asmens spindinčio kilnumu ir tikru šventumu

Motinos Marijos asmuo patraukdavo prie savęs gero trokštančias sielas. Tos sielos, uždegtos iš jos sklindančia Dievo meile, linksmos eidavo į veiklą, atsižyminčią aukštais idealais. Šv. Kazimiero Seserų Kongregacija yra pagrįsta žinojimu, kad čia jos bus maitinamos ne vien žodžiais, o pamaldžiu ir galingu pavyzdžiu padėti kitiems nešti gyvenimo naštą ir atsakomybę. Motinos Marijos asmuo yra vertas visokios mūsų pagarbos, pagyrimo ir maldos, kad visa, ko ji tikėjosi, dabar būtų palaimintoji realybė".

Kunigas Vito Mikolaitis sako: ,,Motinos Marijos įtaka buvo tikrai didelė. Mes matydavome, kaip Dievas pasirenka silpnus, kad sugėdintų išmintinguosius... Motinos Marijos gyvenimą Dievas naudoja dar ir dabar daryti įtakos į daugelį žmonių. Mes meldžiamės, kad sugebėtume savo gyvenime pasekti tai, ką Motina Marija yra palikusi savo gyvenimo pavyzdžiu".

To laiko, kai mirė Motina Marija, Marijos Nekaltos Širdies Tarnaičių Vienuolijos Vyresnioji Motina Brendan, asmeniškai gerai pažinojusi Motiną Mariją, rašė: ,,Netekote Motinos ir šventosios. Jūs niekad neturėsite kitos tokios, nes Motinai Marijai Dievas davė ir natūralių ir savo malonės dovanų, reikalingų tam dideliam pašaukimui, kurį skyrė jai Dievas, būtent — įkurti jau išgarsėjusią vienuoliją ir jai vadovauti besiformuojant ir išvedant ją į Bažnyčios didelių vienuolijų tarpą".

To laiko Šv. Kazimiero Akademijos studenčių nuotaika išreikšta šiais žodžiais: ,,Švento Kazimiero Akademijos mergaitėms Motina Marija buvo maloni žvaigždė, nors retai matoma, bet joms vadovaujanti savo šiltu prielankumu ir jos dorovingo gyvenimo šviesiu pavyzdžiu. Kai savo vardadienio proga ji pasirodė studentėms už jos prisiminimą, jos malonus besišypsąs veidas liko neišdildomai įspaustas į kiekvienos mergaitės sielą".

„Po švento, kitiems paaukoto gyvenimo, Motinos Marijos jau nėra mūsų tarpe savo kūnu, bet jos graži dvasia niekad neapleis mūsų šeimos, nes jos paliktos seserys nuolat primins studentėms jos meilę Dievui ir artimui. Pačios studentės turi dangišką žvaigždę, kuri joms vadovaus iš aukštybių. Motinos Marijos dvasia gyvens su mumis ir toliau kartu su Dievo malone". Motinos Marijos mirtį Chicago Examiner (1940 m. balandžio 17 d.) paskelbė tokia antrašte: „Chicago liūdi savo antrosios Cabrini" ir ilgu straipsniu atpasakoja jos gyvenimą ir ką ji davė visuomenei.

Ta pačia proga Leonardas Šimutis rašė: „Ji buvo didi ne savo iškalba, ne raštais, ne dalyvavimu viešame veikime, o nepaprasta kantrybe, nenuilstamu uolumu ir vaisinga iniciatyva. Su šiomis Dievo duotomis savybėmis brangios atminties Motina Marija nugalėjo visas kliūtis laimėjimams, kurių yra daug ir nepaprastai dideli. Nei nuovargis, nei sunkenybės neatbaidydavo jos nuo pasiryžimų ir sprendimų, nuo jos švento tikslo malda ir darbu tarnauti Tvėrėjui ir jo žmonėms".

Nuo Motinos Marijos atvykimo į Chicagą ir iki jos mirties su ja bendravusi ir iki savo mirties dirbusi ir vadovavusi Šv. Kazimiero Seserų Kongregacijos Rėmėjų draugijai A. Nausėdienė savo ilgoką straipsnį apie Motiną Mariją užbaigia: „Jos asmenyje mes radome nepaprastą laipsnį paprasto ir pakeliančio žmoniškumo, kokiomis gali būti tiktai tikrai didelės sielos ir visada išlaikančios lygsvarą. Ir tarpe vienuolyno sienų Motina Marija išlaikė žmonišką šilumą ir humorą, kartu su švelniu draugiškumu. Tokią aš ją pažinau, asmenį, kurį aš mylėjau ir gerbiau visą jos gyvenimą".

To laiko Šv. Kazimiero Akademijos buvusių studenčių — lietuvaičių ir nelietuvaičių, tuoj po Motinos Marijos mirties ir vėliau, kai jos bręsdamos giliau įsimąstė į Motinos Marijos joms paliktus įspūdžius, yra tiek pasisakymų raštu — Švento Kazimiero Akademijos Aiduose ir kitais būdais, kad juos visus pakartoti reiktų atskiro nemažo leidinio. Tai skaitydamas savaime paklausi save: kiek yra tokių asmenų, kurių atminimą ir įspūdžius išlaikytų ir kartotų visą gyvenimą ne jo šeimos nariai, o svetimi asmenys?

Tie prisiminimai ir pasisakymai yra dalinis liudijimas to, ką savo asmeniu ir veikla Motina Marija davė lietuvių ir nelietuvių Amerikos visuomenei.

Vaizdingi yra Motinos Marijos laikų ir seserų prisiminimai. Motina Juozapa, pažinojusi Motiną Mariją nuo pat vienuolijos pradžios, iki jos mirties labai artimai bendravusi, po jos mirties dvylika metų buvusi Šv. Kazimiero Seserų Kongregacijos Generaline Vyresniąja, praėjus trims metams nuo Motinos Marijos mirties, sako: „Juo daugiau dienų prabėga, tuo vis arčiau traukia prie jos prisiminimai dvasioje ir meilėje. Tikrai, ji yra vis su mumis, nes savo tarpe mes vis jaučiame jos kilnią dvasią. Ji nesiliauja mus mylėjusi, už mus meldusi. Dabar kartu su šventu Kazimieru ji yra galinga mūsų užtarėja pas Dievą, kad mes pasiliktumėm ištikimomis jos dukterimis.

Motina Teofila, Motiną Mariją pažinusi taip pat daug metų, antroji po jos Šv. Kazimiero Seserų Kongregacijos Generalinė Vyresnioji, sako, kad Motinos Marijos gyvenimą galima sutraukti į vieną žodį: Pasiaukojimas. Tame žodyje telpa meilė, pasišventimas, savęs atsižadėjimas, heroiškas sielos ir kūno kančių pakėlimas. Iš visų jos dorybių ryškiausia buvusi giedri nuotaika. Jos ramumas buvo tarsi antroji jos prigimtis, visur paliekantis malonų atspindį. Ji dažnai išsireikšdavo: Prašykime Kristų padėti mums išlaikyti kilnią pasiaukojimo dvasią, išlikti jo meilės malonėje. Tai turėdamos mes būsime tikrai laimingos ir palaimintos. Jos gyvenimas buvo deganti žvakė, tirpstanti Dievo ir artimo meilėje.

Sesuo Rita sako, kad Motina Marija jų tarpe būdavo viena iš jų, niekuo iš kitų nesiskyrė. Išrinkta Generaline Vyresniąja, pasiliko kokia buvusi prieš tai. Buvo paprasta, nusižeminusi ir visada išlaikydavo tą pačią lygsvaros nuotaiką. Sesuo Rita sako neprisimenanti, kad būtų kada nors mačiusi Motiną Mariją nekantrią ar susierzinusią.

Seserims buvo pateiktas klausimas, kaip kuri prisimena Motiną Mariją. Atsakymuose gana daug tų pačių visoms bendrų minčių, išsireiškimų. Tų atsakymų santrauka yra maždaug sekanti:

Pasisveikinimas susitikus su Motina Marija visada būdavęs nuoširdus, šiltas, visiškai laisvas nuo dirbtinos šypsenos ar dirbtino dievotumo. Motina Marija visada pasistengdavo, kad bet kokioje situacijoje seserys jaustųsi su ja laisvai. Jos lėta, švintanti šypsena visai derinosi su tuo neskubėjimu, kokiu ji visada duodavo laiko tikslui, kokiu su ja susitikdavo. Jos akyse matydavosi nuoširdžiausia ramybė ir nuoširdaus pasisveikinimo išraiška, gilus kūdikiškas nekaltumas, iš jos visada patirdavai švelnios paguodos, užuojautos, kokia ji atsakydavo į sunkumų pasipasakojimus, abejojimus, pageidavimus arba pati užsikrėsdavai ta linksma nuotaika, kuri matėsi iš jos primerktų akių. Visada, kada išeidavai pabuvusi su ja, išsinešdavai atsigaivinimo, įkvėpimo ar padrąsinimo, tarsi apčiuopiama prasme.

Savo sieloje Motina Marija visada su amžinybės vizija — visada rami, save valdanti, nusižeminusi. Iš kitos pusės, ji turėjo ne mažą humoro gyslelę, buvo lengvai prieinama, giliai rūpestinga kitų asmeninėms problemoms. Ji buvusi asmuo gilaus tikėjimo ir pasitikėjimo Dievo apvaizda. Buvusi šviesi, giliai mąstanti ir gerai apsigalvojanti asmenybė. Buvusi rūpestinga kiekvienos sesers asmeniniams reikalams, rūpesčiams, klausimams — pačios sesers, jos darbo, jos šeimos... Fiziniai žemo ūgio, bet sutikus — tuoj pajunti dvasiniai didelę.

Po 20 metų nuo Motinos Marijos mirties Motina Adorata, trečioji Generalinė Vyresnioji po Motinos Marijos mirties, ragina visas seseris, kurios asmeniškai pažinojo Motiną Mariją, užrašyti savo prisiminimus, ypatingai atskirus faktus, kad tuo pasidalintų su jaunesniomis, kurios atėjo į kongregaciją jau po Motinos Marijos.

Dar po penkių metų Motina Lorenza, ketvirtoji Generalinė Vyresnioji po Motinos Marijos, ragina seseris melstis į Motiną Mariją, prašant pagalbos tesėti jos pradėtuose ir naujuose tiems panašiuose siekimuose.

Sesuo Perpetua, vaizdžiai pasakiusi seserų gilų skausmą, matant jau mirusią jų visų Motiną, užbaigia, kad paguodos ir stiprybės jausmas sugrįžta atsiminus, kad su mumis pasilieka jos didvyriškai kilni dvasia. „Ta dvasia, kuri pašventino didelius ir mažus darbus, atliktus mūsų steigėjos, pasiliks tarpe mūsų, kaip plakanti, gyva, mylinti širdis".

Sesuo Anna Marie, kuri kartu su Motina Marija vyko į Lietuvą pradėti ten misijos, po eilės metų rašė, kad Motina Marija diena iš dienos tapo vis panašesnė Tam, kuris iš meilės ją pasirinko, kad jį sektų. Šis sekimas tapo jos Kryžiaus kelias... Galutinai ji pergyveno ir agonijos kančią, ir, panašiai kaip Kristus, ji atidavė savo sielą į savo Dangiškojo Tėvo rankas. Motinai Marijai mirus, beveik betarpiai buvo pajustas visuotinis užsidegimas ją garbinti... Tarpe seserų, besiilsinčių Švento Kazimiero kapinėse, yra ir Motinos Marijos kapas. Laikui bėgant, kaip tai susikūrė tokia nuotaika, kad atrodo, jog kažkokia mistinė aureolė kybo ore virš jos kapo. Žemė dar dengia jos garbingus palaikus. Tačiau dvasioje mes vis girdime dažnai jos dažnai kartotą raginimą: Giedria nuotaika pildyti šventą Dievo valią. Giedria nuotaika pildyti Kristaus įsakymus...

Sesuo Agnesina tuoj po Motinos Marijos mirties savo įspūdius išreiškė tokiais žodžiais: „Nusiramink, mano siela. Gal ir tu drįsi svajoti paveldėti nors simbolį iš to sandėlio didžiulio dvasinio turto. Prieš jūsų akis plačiai atsiveria testamento puslapiai, skaitykite: Jums, nedrąsios, abejojimų blaškomos sielos, Kristaus drąsa... Ramybė viršijanti visokį supratimą, kurioje paskendo mano būtis, ištikimai pasitikėdama Tuo, kuris yra Ramybės Davėjas...

Jums, kurių gyvenimo taurė talpina kentėjimus kaip artimus draugus: gerkite iš Kristaus kančios taurės, kurios aš esu giliai paragavusi...

Jums, kurios paklausėte Kristaus šaukimo, kaip pasveikinimas šiandien tenka amžino gyvenimo vainikas.

Visoms jums mano paskutinis prašymas yra šis palikimas: Mylėkite vieni kitus, kaip Dievas mus myli...

Šis Motinos Marijos palikimas ne ranka parašytas, o įvykdytas žmogaus veiksmais padarytais dieviškais.

Motiną Mariją prisimena ir baigusios Šv. Kazimiero Akademija. Jos rašo: balandžio 17 d. minime trijų metų sukaktį nuo Motinos Marijos mirties.

Savo vaikams, Šv. Kazimiero Kongregacijos seserims Motina Marija buvo nenuilstanti gynėja. Ji buvo šaltinis jų ramybės ir laimės. Mums seniorietėms, kurios tada buvome pirmametės, Motina Marija buvo draugė. Jos ramus šypsnys ir paprastas pasisveikinimas su kiekviena iš mūsų, kai ji eidavo per koridorius, niekad nebus užmiršti.

Visos, ir seniorietės, ir naujokės, prisiminkime maldoje šią mūsų mokytoją, Šv. Kazimiero Seserų Kongregacijos steigėją.

Čia seka vienos Šv. Kazimiero Akademijos studentės, Nancy Van Berschot poezijos laisvas vertimas: ,,Sienos daugiau jau neskamba tavo muzikaliu šypsniu. Tačiau tavo gyvenimo grožio gausumas įkvepia sielas meile Kristui. Tavo švelnios akys žvelgė tiesiai į aukos meilės gyvenimą. Tu meldei savo Sužadėtinį vadovauti tavo kelius. Jis vadovavo ir nuvedė tave į jo buveinių aukštybes.

Kita studentė Loreta Stankus rašo: Jau penki metai, kai ji mirus, nors dar neatrodo, kad taip seniai. Jos atminimas mūsų tarpe gyvas ir jos šventumo dvasia pripildo mūsų mokyklos visą atmosferą.

Studentė Joyce Mason savo įspūdžius iš Motinos Marijos prisiminimų taip išreiškia: Šventa moteris tikrai buvo vizija gailestingumo, drąsos ir meilės.

Buvusios Šv. Kazimiero Akademijos studentės ir asmeniškai pažinojusios Motiną Mariją Katarina Kasper, Marrianna Ritis, Mary Ann Klemm yra parašiusios poezijos apie Motinos Marijos asmenį, kuria išreiškia joms likusius prisiminimus ir įspūdžius.

MOTINOS MARIJOS —
KAZIMIEROS KAUPAITĖS ASMUO

Kazimieros Kaupaitės išvaizdos nereikia ieškoti menininkų bandymuose ją pavaizduoti. Ji buvusi žemo ūgio. Ir veido bruožų nereikia ieškoti sukurtuose protretuose, nes yra likusių iš įvairaus jos amžiaus laiko autentiškų fotografijų. Tik dėl akių spalvos nesutinka ją atsimenančios seserys: vienos sako, kad akys buvę mėlynos, kitos sako, kad buvę rudos, kaip pavaizduota vieno menininko padarytame portrete. Įsižiūrėjus į likusias fotografijas atrodo, kad akys buvo mėlynos.

Beskaitant kunigų Antano Staniukyno, Antano Miluko biografijas, Šv. Kazimiero Seserų Kongregacijos archyve žinias apie kunigą Antaną Kaupą, gali kilti klausimas, o vienas kitas asmuo yra pasakę tokią mintį žodžiu, kas tikrai buvo Šv. Kazimiero Seserų Kongregacijos steigėjas. Atsakant į šį klausimą, nereikia nieko nei nuvertinti, nei pervertinti. Daugelio įvykių ir asmenų ryšys neginčytinas. Jeigu kun. Antanas Kaupas nebūtų parašęs savo tėvams į gimtinę, kad jie atsiųstų pas jį į Ameriką dar jaunametę sesutę Kazimierą, tai ji gal ir būtų likusi Lietuvos kaimo mergaite, namie pramokusi skaityti ir likusi be tolimesnio mokyklinio išsilavinimo. Tikrai nebūtų galvojusi apie vienuolyną, nes tada Lietuvoje viešų vienuolynų nebuvo, o apie slaptuosius liaudis nieko nežinojo. Kad buvo paliktos išmirti kelios Benediktinės, Kotrinietės, tai apie jas Kazimiera būtų gal nė neišgirdusi ir ne jai ten buvo prieinama vieta. Tik ruošiamai vykti pas savo brolį kunigą į Ameriką teko šiek tiek daugiau prasilavinti parapijos klebonijoje, kelias savaites Panevėžyje pas panelę Kaminskaitę jos privačioje mokykloje. Atvykusi pas brolį į Ameriką, taip pat nelankė jokios mokyklos. Brolis jos nekalbino tapti vienuole. Po kiek laiko jai pačiai apie tai užsimenant, brolis kunigas kartais tai palaikydavo juoku, kartais neprieštaraudavo. Mintis tapti vienuole Kazimierai atėjo matant vienuoles Amerikoje. Per savo brolį kunigą Kazimiera susipažino su kun. Antanu Miluku ir kitais lietuviais kunigais.

Kai, grįžusi iš Amerikos į Lietuvą, po kiek laiko Kazimiera parašė savo broliui kunigui Antanui ir kun. A. Milukui, kad ji ruošiasi grįžti į Ameriką ir eiti į vienuolyną pas seseris Nazarietes, tiem dviem kunigam ši mintis nebuvo negirdėta naujiena. Kazimiera Kaupaitė nebūtų pirmoji lietuvaitė Amerikoje įstojusi į vienuolyną ne pas lietuvaites. Tokių lietuvaičių tada jau buvo pas Nazarietes, pas Dominikones, pas Šventosios Dvasios seseris. Tos lietuvaitės ne visos buvo beraštės. Kai vėliau Kazimiera Kaupaitė, jau sesuo Marija pradėjo mokytojauti Mount Carmel lietuvių parapijos mokykloje, jau ne vienoje lietuvių parapijų mokykloje mokytojavo ir lietuvaitės, gal visur, o gal ne kartu su nelietuvaitėmis. Ne tik anų parapijų kunigai, o ir kunigas A. Kaupas ir kunigas A. Milukas tai gerai žinojo. Kodėl tie kunigai nebandė savo idėją „Naują užmanymą" įgyvendinti per anas lietuvaites, kai jos ėjo į vienuolynus ar jau buvo vienuolynuose prieš Kazimierai Kaupaitei ir pirmą, ir antrą kartą atvykstant į Ameriką? Kodėl kunigai A. Kaupas ir A. Milukas atkreipė dėmesį ir sustojo prie Kazimieros? Tų dviejų kunigų kalbinamas kun. Antanas Staniukynas taip pat galėjo atsakyti, kad pirma reiktų susidomėti lietuvaitėmis, jau esančiomis vienuolynuose. Pirmą kartą pakalbintas kun. A. Staniukynas aklai nesutiko imtis jam siūlomo dar nesančio dalyko, o išklausė jį kalbinančių kunigų motyvus. Matomai, Kazimiera Kaupaitė, pirmą kartą būdama Amerikoje, savo broliui kunigui, kunigui A. Milukui ir kitiems lietuviams kunigams paliko tokį įspūdį, kad lietuvaičių vienuolijos idėjai realizuoti ir kiti, ir kunigas A. Staniukynas, ypač po susitikimo su Kazimiera, jau grįžusia į Ameriką, tinkamiausia matė Kazimiera.

Pažinęs Kazimerą Kaupaitę jau besimokančią Šveicarijoje, Ingebohl, tada Fribourge studijuojąs kunigas J. Totoraitis — slapyvarde A. Norus, vėliau žinomas profesorius J. Totoraitis — Marijonas, rašo iš Fribourgo kunigams A. Kaupui ir Šedvydžiui, kad Kazimiera yra visa širdimi entuziastė minčiai kurti lietuvaičių vienuoliją. Ji turinti labai gilų to dalyko supratimą, ji esanti tuo labai persiėmusi ir tam tikslui pasišventusi. Turbūt nei sunkumai, nei prieštaravimai jos neatbaidys nuo to tikslo, taip ji yra pasiryžusi. Ne iš jos lūpų, o iš tų, kurie ją žino, kunigas J. Totoraitis sakosi buvęs painformuotas, kad nuo praėjusios žiemos Kazimiera rimtai svarstanti, tvirtai pasiryžusi ir visiškai atsidavusi naujos kongregacijos reikalui... Kazimiera turinti susikūrusi planą, kad baigusi novicijatą ji sugebės imtis atsakomybės vadovauti ruošiant postulantes, auklėjant novicijas užmatytai kongregacijai. Kazimiera esanti tikrai ypatinga ir pirmaujanti tarpe postulančių. Kunigas A. Milukas, kuris Amerikoje ir kitur buvo sutikęs ir pažinęs daug visokių žmonių, Kazimierą taip apibūdina. Nors Kazimiera nebuvo baigusi nė vidurinės mokyklos, bet spindėjo savo įgimta išmintimi, dorovingumu ir joje spindėjo dideli dvasiniai lobiai. Kas ją pažinojo, stebėjosi jos nepaprastu kuklumu, bet kartu ir giliu galvojimu ir išmintimi. Ir savo „Naujam užmanymui" kunigas A. Milukas iki šiol nesurado tinkamesnio asmens už Kazimierą Kaupaitę.

Tiksliai neatspėsime, kaip jautėsi kunigas A. Staniukynas, priėmęs kunigų A. Kaupo ir A. Miluko siūlymą, tai po pirmojo susitikimo ir pasikalbėjimo su Kazimiera neliko jam jokių abejonių.

Kaip Amerikos lietuviams kunigams atrodė Kazimieros Kaupaitės pradėtas darbas, pasako faktas, kad jie tik tada įgavo drąsos kėsintis kurti ką nors panašaus, kai Švento Kazimiero Seserų Kongregacija tapo jau populiari visų Amerikos lietuvių tarpe. Tik po keliolikos metų dėl įvairių motyvų atsirado lietuvaičių Dievo Apvaizdos Šv. Pranciškaus Seserų ir Nukryžiuoto Jėzaus — Pasijonisčių Seserų Kongregacijos. Visos paminėtos nuomonės apie Kazimierą Kaupaitę ir faktai pakankamai pasako, kad jeigu ne Kazimieros Kaupaitės apsisprendimas ir pasiryžimas steigti Amerikoje lietuvaičių vienuoliją, tai nežinia kada ir nežinia, ar iš viso būtų kas nors įsteigęs Amerikoje lietuvaičių vienuoliją. Kad Kazimiera Kaupaitė — Motina Marija yra Šv. Kazimiero Seserų Kongregacijos įsteigėja, nėra jokio pagrįsto abejojimo.

Kalbant apie Kazimieros Kaupaitės asmenį toliau, galima sakyti, kad padoriai pasidžiaugti pasauliu ir kokiomis nors kultūringomis pramogomis Kazimiera galimybių rado tik atvykusi į Ameriką, pas savo brolį kleboną Scrantone. Scrantonas nebuvo ir nėra didmiestis, bet jeigu Kazimiera būtų pageidavusi kiek nors plačiau pagyventi, kaip matome iš jos užrašų, brolis nebūtų jai to pagailėjęs. Ji mini, kad brolio dėka ji matė ir operų, ir vaidinimų. Tačiau amerikiečių gyvenimas Kazimierai neatrodė patrauklus — perdaug materialistinis, paviršutiniškas. Jos nuotaikoms nepatiko net pamaldos bažnyčioje. Nors jos brolis visų pripažintas kaip vienas iš geriausių kunigų, Kazimierai atrodė, kad ir pamaldose perdaug skubama, kad per maža dvasingumo, o perdaug visokių priedų — skelbimų ir kt., nieko bendro neturinčių su pamaldomis. Tokiais Kazimieros įspūdžiais nėra ko labai stebėtis, nes svetur patekę žmonės paprastai, kurį laiką būna nepatenkinti viskuo, kas ne taip, prie ko pripratę savo krašte ar savo namuose. Kazimieros skoniui geriausiai patikdavo kada nors kur nors šalia bažnyčios prie mokyklos vaikus betvarkančios vienuolės. Ji pati savo užrašuose pasakoja, kaip jos širdis tiesiog drebėjusi, kai ji palydėjo į vienuolyną vieną savo draugę, kai pirmą kartą gyvenime įžengusi į parapijos mokyklos seserų vienuolyno prieangį, paskui į svetainę.

Tiesa, kad Kazimieros išsimokslinimui, išsiauklėjimui, bendram išsilavinimui ir psichologiniam akiračiui daug davė metai, praleisti Ingenbohl, Šveicarijoje, vėliau Scranton, Pa., Amerikoje, bet labai daug reiškė jos natūralus charakteris, šeimoje įgytos dorybės. Šiandien jau nėra gyvųjų tarpe tų nelietuvaičių Ingenbohl, kurios galėtų paliudyti apie Kazimierą, jai ten gyvenant, tačiau apie tai daug pasako faktas, kaip ano meto to vienuolyno prityrusios ir išsilavinusios vienuolės atsiliepė į Kazimieros mintį tapti naujos vienuolijos steigėja. Anos vienuolės nepalaikė to nerealia svajone Lietuvos kaimo mergaitės galvoje, o jai pritarė, drąsino ir padėjo, su tokia jos intencija jos net Romą pasiekė, prašydamos leidimo priimti Kazimierą kaip pašalietę į jų novicijatą. Ten Kazimieros paliktas teigiamas įspūdis. Ten ir šiandien saugojamas ne tik jos paveikslas, o išsaugoti iš Amerikos į Ingenbohl Kazimieros rašyti laiškai. Šv. Kazimiero Kongregacijos seserys yra gavusios 1980 metais ir savo archyvuose turi tų laiškų foto kopijas. Kazimierai su dviem draugėm atvykus į Scranton į vienuolyną, po kiek laiko Harrisburgo vyskupas rašė vienuolyno Vyresniajai Motinai Cyrilei savo abejojimus, ar tos trys lietuvaitės sugebės svetimam krašte įgyvendinti savo mintį, kuriai paprastai reikia ne eilinių asmenų. Motina Cyrilė nuramino vyskupą, kad jis gali būti ramus. Tos lietuvaitės esančios uolios, darbščios, pamaldžios, nepasaulietiškos, jos nieko neapvilsią.

KAZIMIEROS KAUPAITĖS
ASMENS ATSKIRI BRUOŽAI

Tikėjimas. Kazimieros drąsos imtis tokios iniciatyvos, jos ištvermė rėmėsi mintimi, jos žodžiais tariant, kad žmonės yra tik įrankiai Dievo planuose. Jeigu žmonių užmojai atitinka Dievo mintį, tai Dievas tą mintį ir įgyvendina per žmones. Šis jos tikėjimas ir pasitikėjimas yra ryškus visame jos gyvenime, vėliau jos laiškuose seserims. Būdingas momentas, kai jai esant jau Scrantone novicijate atėjo pas ją brolis kunigas su pesimistišku vyskupo John W. Shanahan laišku, pats nusigandęs, ką dabar reikės daryti. Kazimiera išklausiusi, perskaičiusi laišką ir be jokio išgąsčio ar sumišimo nuotaikos, ko tokiu atveju iš tokios asmens galėtum laukti, ramiai paprašė tą laišką palikti jai. Tą klausimą ji rišo maldoje ir tardamosi su Motina Cyrile. Greitai ir vyskupas, ir brolis kunigas tapo įtikinti, kad jie remia asmenį, kuriuo galima pasitikėti.

Kitos savybės. Apie Kazimieros — jau Motinos Marijos įvairias savybes yra daug liudijimų ir raštu, ir žodžiu, ją pažinojusių, jos auklėtų, su ja gyvenusių ir dirbusių asmenų. Anot tų liudijimų, Motina Marija buvusi visada rami, tvirta, paprasta, švelni, suprantanti ir užjaučianti. Buvusi labai pamaldi. Seserys dažnai matydavusios ją vieną klūpančią koplyčioje prieš altorių, paskendusią savo mintyse ar tylioje maldoje.

Kitų supratimą ir užuojautą pavaizduoja viena sesuo savo liudijimu, kai dar postulantę (o tada jų būdavo 14-17 metų, savo High School tęsdavo Šv. Kazimiero Akademijoje), vasaros metu Motina Marija rado pasislėpusią ir verkiančią, pasiilgusią savo gimtos šeimos. Motina Marija ją išklausiusi, jos nesudraudė, o švelniai paguodusi, išsiuntė keliom dienom namo, pas tėvus. Mergaitė sugrįžo. Vasarai pasibaigus, sekantiems mokslo metams ji buvo paskirta į mokyklą netoli nuo jos tėvų namų.

Nusižeminimas. Kita sesuo negalinti užmiršti, kaip vieną kartą Motina Marija ją — jauną seserį pasišaukusi į savo kambarį ir prieš ją atsiklaupusi atsiprašė, kad kažkuriuo atveju ji buvusi tai seseriai šiurkšti. Šis Motinois Marijos nusižeminimo gestas likęs jai neužmirštamas.

Pamoka be žodžių. Kita sesuo ir dabar, po 50 metų, gyvai atsimena Motinos Marijos taktiškumą. Priimta į vienuolyną iš valstybinės mokyklos, mažai ką žinojusi net elementariausių religijos dalykų. Žinomas lietuvis vienuolis, vedęs vienuolyne rekolekcijas, kalbėjęs apie Teresės Avilietės mintis, kaip siekti tobulumo viršūnių. Klausydama ji nieko nesupratusi, tad ant sąsiuvinio lapo, kurį turėjo tikslu ką nors užsirašyti iš rekolekcijų minčių, nupiešė rekolekcijų vedėjo veidą. Kita tai mačiusi ne ją perspėjo, o tai papasakojo Motinai Marijai. Ši pasišaukusi mergaitę ramiai jai pasakė, kad atneštų jai koplyčioje padarytą piešinį. Mergaitė, manydama, kad Generalinė Vyresnioji norės sau ar vienuolynui turėti tą rekolekcijų vedėjo „portretą", greitai nubėgo, pagriebusi sąsiuvinį visa linksma sugrįžo pas Motiną Mariją ir sako:

— Motinėle, čia prastas, greitomis padarytas. Jeigu norėtumėte, padaryčiau geresnį.

Motina Marija, paėmusi sąsiuvinį, išplėšė lapą — „portretą" ir tik tiek pasakė:

— Užteks man šito, ir lapą saujoje suglamžė. Mergaitė suprato be žodžių Motinos Marijos gestą. Ji ir šiandien atsimena, kaip Motina Marija pamokė ją be žodžių, užteko ramaus gesto.

Visuose Motinos Marijos laiškuose seserims yra labai ryškus gilaus, gyvo tikėjimo pasireiškimas. Rašydama seserims visada pirmoje vietoje primena ir moko, kaip viską suantgamtinti mąstant, veikiant vis Dievo akivaizdoje, viską pašvenčiant dvasiniai vertingomis intencijomis. Ne dvasinio gyvenimo, nors ir labai svarbius ypatingus ar kasdieninius reikalus, kasdieninį gyvenimą, savo laiškuose ji mini tarsi tik prierašuose — laiško užbaigoje.

Motinos Marijos laiškuose yra minčių sužadinančių ir dabar ypatingo dėmesio. Laiške 1931 m. gruodžio mėn., kai ir Amerikoje, ir Europoje karas nebuvo aktuali tema, ji baigia savo laišką seserims sekančiai:

— Pasirūpinkime nuoširdžia malda apimti ne tik savo, bet ir kitų reikalus. Maldaukime Ramybės Karaliaus, kad jis gyventų ne tik mūsų širdyse, bet savo ramybe apimtų visą pasaulį. Neramumo ir karo šmėklos gąsdina visur, o ne vieną kraštą jau ir kankina. Mes Bažnyčioje priklausome užtarytojų kariuomenei. Todėl maldaukime Aukščiausiojo Viešpaties, per Ramybės Karalienę, pasigailėjimo ir taikos.

1938 metais spalio mėnesį rašo:

— Bažnyčios ir tautų santykiai yra kritiškoje būklėje ir santykiai įtempti. Esame dalis ir Bažnyčios, ir tautos, ir žmonijos. Baigia laišką ragindama tomis intencijomis melstis.

Ne vien iš natūralaus vertinimo ir prisirišimo prie savo gimtosios kalbos, o platesniais motyvais — kad svetur gimusieji nepamirštų savos tapatybės, kad turėtų platesnį akiratį, Motina Marija savo laiškuose (1928 m. lapkričio mėn., 1930 m. lapkričio mėn., 1933 m. kovo mėn. ir kt.) primena seserims, kad mokyklose su lietuvių vaikais ir pačios kalbėtų lietuviškai, ir vaikus mokytų kalbos, ir reikalautų, kad jie ir savo tarpe kalbėtų lietuviškai.

Motinos Marijos raštingumą ir kalbų mokėjimą trumpai galima taip įvertinti, kad jos rankraštis yra gražus. Kaip anų metų Lietuvos kaimo jaunuolės, brendusios svetur ir kitataučių tarpe (Ingenbohl, Scrantone), lietuvių kalba yra labai gera. Esant Ingenbohl, jai ir kitom lietuvaitėm padėjo lietuviai kunigai, studijuoją Fribourge, Scrantone padėjo kunigas Antanas Kaupas, Chicagoje — kunigas Antanas Staniukynas, tačiau aišku, kad toks savos kalbos pasisavinimas yra ne vien tų pamokų, o jos privataus skaitymo vaisius. Iš laiškų matosi, kaip gerai ji buvo išmokusi vokiečių ir anglų kalbas. Ir šiom abiem kalbom ji naudojosi iki mirties. Ji liko gyvai dėkinga Švento Kryžiaus seserims Ingenbohl ir Marijos Nekaltos Širdies Tarnaitėms Scrantone. Ir vienom, ir kitom rašydavo gana dažnai, reikšdama savo dėkingumą, pasipasakodama ir asmeninius savo išgyvenimus ir ypač informuodama apie savo kongregacijos įvykius, nuo pat gauto leidimo steigti kongregaciją, nuo vardo pasirinkimo, savų pirmųjų įžadų, darbo pradžią Mount Carmel, persikėlimą į Chicago, Motiniško namo statybą, kongregacijos augimą ir t.t.

Jeigu ir nebūtų išlikę kiti jos užrašai, tai iš tų laiškų būtų galima atkurti bent pakankamai bendrą Šv. Kazimiero Seserų Kongregacijos istoriją. Motina Marija tai darė ne iš paprasto įdomumo susirašinėti, o visai kitais jausmais, kuriuos ji pasako viename laiške Ingenbohl vienuolyno Vyresniajai Motinai Salezijai. Praėjus trims mėnesiams po pirmųjų Motinos Marijos ir jos dviejų draugių vienuolinių įžadų, ji rašo, kad dabar mes esame ne „truputį", o artimai giminingos, nes pagyrimo vertas jūsų Institutas buvo „lopšys" ir „tėviškė" mūsiškio. Užtat su ypatinga meile mes norime visada pasilikti jūsų dėkingi vaikai. Nors nuotoliai mus skiria, bet gi mes darbuosimės tame pačiame Viešpaties Vynuogyne ir maldose vienos kitoms padėsime pildyti Dievo valią.

Panašūs sentimentai, tik gyvesnis kontaktas liko su Marijos Nekaltos Širdies Tarnaičių Vienuolija ir jų kolegija Scrantone.

MOTINOS MARIJOS PALIKTOS MINTYS

Čia sekančios tai nėra visos mintys, kiek ir kokių Motina Marija yra palikusi. Tai tik pluoštas iš jos minčių, parodančių Motinos Marijos protą, širdį — jos dvasią.

*

Formaliai pasiaukojusieji Švenčiausiai Jėzaus Širdžiai visi jai priklauso, bet ar visi yra vienodai jai malonūs (1926.I.29).

*

Naujai pradedami metai kam dar ne paskutiniai, tai vistiek arčiau amžinybės. Tais metais tiek pasidžiaugsime, kiek juose bus gerų darbų ir kiek bus pasinaudota Dievo malonėmis ir progomis tobulėti (1928.I.).

*

Neužtenka tylėti, o reikia naudingai tylėti, kad sieloje prisirinkus gerų minčių, kuriomis būtų galima pasidalinti su kitais kalbantis... Kas neturi tokių minčių sandėlio, ir kitiems nieko gero nepateiks... Lengvamanis kalba apie menkniekius. Už akių apkalbąs kitus parodo, kad jo širdyje nėra meilės, tiesos, sąžinės... Reikia gerai tylėti, mąstant apie kilnius dalykus, kad kalbėdamas nenusidėtum (1928.X).

*

Mūsų protas nepajėgia suprasti tos aukos, kad Anžinoji Išmintis apsigyvena kūdikio sąnariuose ir toliau tęsės šią auką iki mirties ant kryžiaus (1928.X-II).

*

Niekur kitur neišmokstama tiek meilės, kaip Kristaus kančios knygoje (1929.III).

*

Įtarinėjimus ir klaidų ieškojimus kituose palikime menkiems protams, o mūsų troškimas tebūna mylėti, kaip to mokina Išganytojas (1929.IV).

*

Užuojautos kitiems — gyviems ir mirusiems — nepalikime tiktai tuščiu jausmu, o išreikškime tai aktyvia pagalba (1929.XI).

*

Dievas aplanko visus, kur yra jį patraukiantis nusižeminimas (1932.IV).

*

Gal laukiame kraujo praliejimo reikalaujančios kankinystės, o nepasinaudojame kasdieninio gyvenimo kankinyste, jos net neįžiūrime (1932.V).

174

*

Vienuolyno tvarką ir švarą pavydžios akys ne kartą ištaigingumu palaiko (1932.V).

*

Niekad neužmirština, kad kilniai pergyventi vargai yra tikro džiaugsmo šaltinis 1932.XII — baigiant Kongregacijos 25 metus).

*

Neužtenka duoti, bet reikia žiūrėti, ką geresnio duoti. Neužtenka ką nors padaryti, bet reikia žiūrėti, kaip geriau padaryti. Tam meilė yra būtina sąlyga (1933.I.).

*

Ne tiek svarbu pasiryžimų padaryti, kiek svarbu juos išpildyti (1933.II.).

*

Negilūs upeliai kriokdami bėga, o gilios upės tyliai plaukia (apie plepumą, 1933.XII.).

*

Gyvenimas yra realus — ne užgaidų ar ūpo tenkinimui (1936.I.).

*

Kas Dievo reikalais rūpinasi, Dievas jų reikalus laiko savais ir juos globoja (1938.X.).

*

Kai tenka prisiminti ką nors nemalonaus, atsiminkime, kad apkabindami su meile kryžių, apkabiname ir ant jo kabantį Kristų. Kas gi atsitinka, jeigu kryžius nustumiamas? (1939.XII.).

*

Pasitaiko kryželių su mokiniais. Gavusios sunkiai vadovaujamą grupę, turime kas išbando mūsų dorybes ir jėgas. Bet visgi jie yra Dievo mums duota dirva, kurią turime išdirbti ir kaip nors ką gero joje išauginti. Gal tas geras nebus toks našus, kaip geroje dirvoje, bet Dievas žiūri į mūsų darbą, ne į vaisius. Žmogus, vargo nematęs, ką jis žino, kas tai yra gyvenimas. (1914.II.13).

*

Už džiaugsmus Dievui dėkoki, skausmus jam aukoki, iki išmoksi ir juos mylėti, ir už viską Dievui dėkoti.

Kai skaitai ar matai ką gero, ko pats nedarai, tai nereikia nusiminti, o bandyti panašiai elgtis. (1917.II.20).

*

Pasišventimas ir pastangos užtarnauja Dievo palaimą ir žmogaus širdį nuteikia dorybėms ir vertingiems darbams. (1914.II.17).

*

Kokios mes laimingos, kad Dievas pasirinko mus iš milijonų sielų pasaulyje pašaukė tokiam gražiam darbo gyvenimui (t.p.).

*

Ar skaitlingos mūsų viršinės klaidos neparodo stokos mūsų vidinio susitelkimo ir maldos vertinimo? (1926.I.29).

*

Ar bus mums paskutiniai, ar ne šie metai, tai mirties valandoje bus malonu prisiminti, jeigu jie bus pilni gerų darbų ir uolumo pastangų siekti tobulumo ir panaudoti Dievo duotas progas įgyti dorybių ir nuopelnų (1928.I.).

*

Mokytojai skirta vynuogyno dalis yra prisodinta gyvų gėlių, sutvertų gyventi amžinai. Mūsų pareiga šias gėles branginti ir tobulinti, išravint visokias piktžoles, palaistant gerais pamokymais, šviečiant gražaus pavyzdžio ir meilės spinduliais, kad jos taptų ir panašesnės savo Amžinajam Paveikslui ir geriau ruoštųsi savo amžinajai paskirčiai.

*

Ar būtum patenkintas mirdamas, koks esi šią valandą? Su kokiu tad dėkingumu privalome naudoti kiekvieną duotą valandą savęs patobulinimui. Prarasta valanda nė viena nesugrąžinama. Tik amžinybėje pamatysime, kokią skriaudą esame sau padarę.

*

Mano gyvenime viena didelė dovana: niekad niekam nejaučiau kokios nors neapykantos.

*

Esu patenkinta, kad turiu vėžį, nes tai duos man pakentėti ir pasiruošti mirčiai.

*

Dangų laimėsime ne žinojimu ar emocijomis, o Dievo apreiškimo paliktais būdais.

*

Aukos ir savęs atsižadėjimo aš neišvengsiu, tik privalau rimčiau į juos ižūrėti.

*

Neleisk man, Viešpatie, gyventi nežinioje ir nesirūpinant Tavo meile.

*

Sekdami Kristaus pavyzdžiu, visur ir visada parodykime meilę. Gi pirmoje eilėje turime mylėti vaikus, paskui vargšus, ligonius, apleistus ir net mūsų priešus. Reikia mylėti ir kitas tautas, bet ypač turime mylėti vieni kitus.

*

Jeigu gyvenime padarėme mažai gero, tai ne dėl to, kad nebūtų buvę progų, o tik iš mūsų apsileidimo, kad jomis nepasinaudojome.

*

Besirūpindami savęs tobulinimu, neužmirškime kitų žmonių reikalų. Šį kartą noriu jums priminti, kad yra reikalinga mūsų maldos pagalbos mūsų tėvynė Lietuva. (1938.III.).

*

Be meilės mūsų darbai ir net kentėjimai yra tik vidutiniai. Be meilės dirbama, kaip iš prievartos, kenčiame skųsdamiesi ir murmėdami ir net pasilaisvinti bandome tokiu būdu, kad jis yra ir netinkamas, ir kvailas.

*

Nepakanka tik duoti, reikia duoti geriausią. Ne tiek svarbu, kiek duodame, bet kaip duodame.

*

Ar mes jaučiamės tikrai laimingi, kai Dievui reikalaujant atiduodame daugiau, negu tik vykdydami dienos tvarką? (1933.I.).

*

Esame laimingi šiame aukos gyvenime artimai sekdami Kristų ir, panašiai kaip jis, kryžiaus kelią einame ramūs, linksmi, be dejavimų ir nusikaltimų.

*

Maldaukime Dievą supratimo, drąsos ir tvirtumo malonės, kad būtume nusiteikę jo norus prisiimti su didesne meile ir kad visada vadovautumės jo meile.

*

Juo daugiau pageidausi, tuo daugiau gausi, nes Dievas yra visagalintis ir mūsų Tėvas duoda daugiau, negu mes prašome.

*

Kokios didesnės dovanos galėčiau jums linkėti, kaip saldžios ramybės, sekančios iš jūsų pačių pergalių savo netvarkingų troškimų ir įpročio.

*

Nebijokime bandymų, kokių šiame gyvenime patiriame skausmuose ar priešingumuose. Kentėjimai yra brangi mums Dievo dovana ir mums yra būtini, kaip Kristaus kančia ir mirtis Didįjį Penktadienį buvo būtini Velykų ryto džiaugsmui.

*

179

Apžiūrėkime, kad nebūtum panašūs į meilės reikalaujančius ir rūgojančius už stoką neva priklausančios mums meilės ir dėmesio. (1929.IV.).

*

Koks rojus būtų čia gyvenimas, jeigu kiekvienas ir visi save užmiršę stengtumės vieni kitus mylėti; pirmiausia tą meilę auklėdami širdyje, paskui ją išreikšti žodžiais ir darbais. (1929.IV.).

*

Neleiskime savo širdžiai įtarinėti kitų mintis ir intencijas, nes viršiniai darbai ar žodžiai ne visada parodo tą, kas iš tikrųjų yra kitų mintyse ir širdyse. (1929.IV.).

*

Tebūna toli nuo jūsų mintis kam nors įtikti, ar ką nors daryti, kad už tai kiti pagirtų. (1930.IV.).

*

Dvasiniame gyvenime ypatinga paguoda yra Marijos garbinimas, Prie gėlėmis papuoštų altorių atsigauna mūsų širdys meilės, paguodos, susiraminimo jausmais. (1930.V.).

*

Leiskime gražiajai Dievo gamtai į mus paveikti ir mus labiau patraukti tikros Tėvynės link. (1931.V.).

*

Žmoniškų silpnybių įtakoje tenka suklupti. Todėl dera ir reikia, kad išsiskirstydami iš bendro darbo vienas kitą atsiprašytume, susitaikytume ir vieni kitus tik gerai prisimintume. (1937.VI.).

180

*

Ir nenorėdami vieni kitus kartais užgauname, bet yra galima užsigavimo neparodyti. Užuot tai parodžius ir sau bei kitam tuo padarius nemalonumą, galima savo žodžius ir elgesį suvaldyti, nors nemalonumą ir jaustume. (1932.VI.).

*

Mes išeikvojame tiek daug laiko galvodami apie save, kad net maldoje, užuot meldęsi už kitus, daugiausia galvojame apie savo pasisekimus ar nepasisekimus, ar kokį įspūdį kitiems mes darome. (1932).

*

Atsiminkime, kad, nepaisant mūsų geriausių intencijų, niekad nestokos mažų nesusipratimų ir kryželių. (1932).

*

Gyvenimo srovė visko mums atneša ir į ją įsižiūrėję matome, kad ši žemė teisingai yra vadinama ašarų pakalne. (1929.III.).

*

Šv. Kazimiero karališkoji kilmė nepadarė jo šventuoju. Tai padarė savęs valdymas ir nusigalėjimas. (1935.III.).

*

Gal mums tenka iš klusnumo atlikti darbų ir reikalų ne taip, kaip mes manome kad būtų geriau ir tuoj papilame savo paaiškinimus ir pasipriešinimus ir tai net iš savimeilės. Šv. Juzapas ne taip elgėsi. (1935.III.25).

181

*

Gal ir mums tenka pergyventi nežinojimo padėtį; prisiimti vyresniųjų parėdymus be paaiškinimų, turėti aplinką, kurios blogumo negalima pateisinti. Ką tada daryti? Taip, kaip šv. Juozapas. Ko nesuprantame, tai maldoje paveskime Dievui. (1935.III.25).

*

Įsivaizduokime Jėzų ant kalno, kurio apačioje mes stovime. Jis mus kviečia. Ir kokiu tikslu? Kad būtum su juo, tai viskas ir to mums gana, šiai dienai, visai Gavėniai ir visai amžinybei. (1932.II.).

*

Kokia pasiaukojančia ir savo naudos neieškančia meile Kristus mylėjo visus žmones. Sekime juo visa širdimi ir stenkimės ne tik būti mylimais, bet ir mylėti. (1929.IV.).

*

Iš Kristaus kančios skaitykime, ką neapykanta yra padariusi, ir su giliu apgailestavimu paskandinkime visas savo nedorybes Kristaus kančios gelmėse.

*

Norime ar nenorime, čia žemėje reikia kentėti. Todėl kentėkime vienybėje su Kristum, kilniai, linksmai, kaip jis kentėjo mus mylėdamas. (1940.III.1).

*

Jeigu norime, kad prisikėlęs Kristus mus atlankytų ir suteiktų savo ramybę, mylėkime veiklia meile, jo reikalus laikydami mūsų reikalais, mylėkime vieni kitus. (1932.IV.).

182

*

Ar mums nereikia Dievo pagalbos? O, Viešpatie...
Tik pažvelgus į save, kaip atrodome, mūsų sielą
prisipildo baime ir rūpesčiu. Ir kur mes ieškosime
išsigelbėjimo iš visų tų negalių, stiprybės uolesniam
jo tarnybos gyvenimui, jei ne pas jį. (1932.II.).

*

Mums nereikia Dievo laukti, ieškoti jo kur nors
toli, nes jis visuomet yra su mumis ir visada
nusiteikęs mus gelbėti, tik laukia, kad mes į jį kreiptu-
mės. (1032.I.).

*

Jūsų atsakymas gali būti, kad nejaučiate meilės.
Prašykite ir gausite, sako Kristus. (1934.II.).

*

Mus saistančius reikalavimus pildykime su meile.
Sakau, su meile, nes be meilės ir pats pildymas bus
tik prievartos darbas, su daugeliu trūkumų. (1934.II.).

*

Nusižeminimo kelias nuklotas pažeminimais.
Pažemintam išlikti giedriu yra ženklas, kad dar esi su
Kristum prie kryžiaus iš meilės jam. (1933.II.).

*

Sekdami Kristaus keliu, mes turime stengtis visa-
da išlikti giedrūs ir kantrūs, nepaisant kaip atstu-
miantis būtų asmuo ar sunki padėtis. Tie dalykai, tai
priemonės mus lavinti. (1933.I.).

*

Jeigu būtų sunku kitus pakelti, žvelk į Išganytoją — nekaltumo ir tobulumo įkūnijimą, kuris pakelia mūsų trūkumus. (1937.I.).

*

Patebėję mūsų trūkumus, nukrypimus nuo tikrojo tikslo, nusižeminkime ir puolę po kojų prikryžiuoto Kristaus, stenkimės atsiteisti ir prašykime tikros aukos dvasios, kuriai niekas nebūtų persunku dėl Kristaus. (1930.II.).

*

Pradėdami naujus metus, stiprinkime savo valią tvirtais pasiryžimais būti pastoviais gerame, pilnai pasitikėdami Dievu ir drąsiai eiti keliais, mums nurodomais Dievo malonės. (1932.I.).

*

Padaryti viską, ko iš mūsų reikalauja Dievas ir padaryti vis geriau, negalėsime, jeigu nedarysime su meile. (1933.I.).

*

Be meilės mūsų darbai ir net kentėjimai yra išti-žę. Dirbame it priversti, vargstame ir kenčiame rugodami ir skųsdamiesi, stengdamiesi jais nusikraty-ti netinkamais ir net kvailais būdais. (1933.I.).

*

Būkime tokiais, kuriais Dievas gali pasitikėti, būkime sielomis, kurios moka pasiaukoti ir pakentėti. (1933.I.).

*

Kuris gerbtų kryžių vien dėl jo gražios ar

brangios medžiagos, o negerbtų paprasto medinio, parodytų stoką tikėjimo ir pagarbos pačiam Kristui, kybančiam ant to kryžiaus mūsų išganymui. (1929.I).

*

Dievas visada suteikia malonę, reikalingą kiekvienai progai, kadangi būtinos yra ne tik progos, bet ir malonės jas gerai panaudoti. (1931.I.).

*

Dievas visada padės, jeigu mes bendradarbiausime su jo malone. (1932).

*

Reikale suraminimai, padrąsinimai, pagarbos pareiškimai, pagyrimai, viską kas žmogų dorina ir pakelia, reikia sunaudoti, kad gyvenime palaikytume gerą ūpą ir malonius santykius. (1934.I).

*

Kalbantis vis reikia laikytis meilės, o ne paniekos ir smerkimo. (1934.I.).

*

Ar mes apie tai galvotume, ar ne, Dievas veikia mūsų sielose, nuolat mus paliečia. (1932.II.).

*

Reikia būtinai ištesėti geruose pasiryžimuose, nes tik taip galime prieiti prie to, ko siekiame. (1939.VIII.5).

*

Mūsų dienos tebūna skirtos daryti gera, užuot ieškojus priekabių ir rūgus dėl esamų blogybių. (1939.III.).

*

Mums reikia viskuo, ką tik tenka patirti, pasinaudoti atgailos dvasioje, nes kas iš mūsų yra be nuodėmės? (1929.XII.).

*

Savyje turimą Dievo meilę skleiskime aplinkui. Kiek laimės tai duos visiems. (1933.XII.).

*

Didžiosios Dievo dovanos yra pažymėtos kryželiais. (1932.I.).

*

Marijos ypatingas grožis ir vertė buvo jos viduje... Marija kartą ištarusi Dievui: Fiat — Teesie man Tavo žodžiu, to daugiau neatšaukė, o viską, ką tas Fiat talpino, pilnai ir tobulai išpildė, viską ramiai pergyvendama, viską iškentėdama. (1933.V.).

*

Reikia saugotis užgauliojimų, apkalbų, kritikavimų, visokių murmėjimų. Susitikimai ir kalba žmogui ne tam yra duoti. (1934.I.).

*

Tebūna toli nuo mūsų mintis, kad kitų dalis geresnė, pareigos mažesnės, lengvesnės. Jeigu Kristus veikia su mumis, tai mes viską galime su tuo, kuris mus stiprina. (1928.IX.).

*

Nedejuokime bet kam, nes nusiskundimai asmenims, kurie mums negali pagelbėti, mūsų savijautą tik pablogina ir apsunkina. (1938.IX.).

*

Panaudokime progą pakentėti pažeminimą ar kitokį neužtarnautą nemalonumą. Viskas greitai praeina, buvęs kantrus niekad nesigailėsi. (1938.IX.).

*

Jeigu nori išlaikyti ramybę, gerą vardą ir įsigyti daug malonių... būki kantrus visokiose aplinkybėse. (1938.IX.).

*

Niekad nesigailėsi buvęs kantrus, bet anksčiau ar vėliau apgailestausi visokio pykčio, keršto, nepasitenkinimo neapvaldymus. (1938.X.).

*

Kuris neturi vertingų turtų savo širdyje, tas ir kitiems dalina tik menkaverčius dalykus. (1928.X.).

*

Reikia naudingai tylėti, kad sieloje sukauptum sandėlį gerų minčių, kurias būtų galima kalbantis pareikšti kitų gėriui ir malonumui, nes „burna kalba iš širdies pilnumo" (Mat.12,34) (1928.X.).

*

Kas randa malonumą už akių artimą apkalbėti, parodo, kad jo sieloje nėra meilės, tiesos, nei sąžinės; kas giriasi ir aukščiau kitų stato savo nuomonę, parodo, kad puikybė yra jo vyriausias geidulys. (1928.X.).

*

Kaip greitai viskas praeina. Todėl rūpinkimės ir skubiai veikime, nepalikdami nė vienos dienos neatžymėtos kokiu nors geru darbu. (1929).

*

Džiaukimės, kad esame Katalikų Bažnyčios nariai, džiaugdamiesi jos globa ir užtarimu, ir dėkingomis širdimis parodykime, kad esame vaikai, verti tos garbės. (1938.X).

*

Jeigu turėtum atgailos dvasios, lengvai pakeltum iš kitų patiriamus sunkumus, nuoširdžiai atleistum jų nusižengimus ir patys nusižengę nesiteisintum kaltindami kitus. (1929.XI.).

*

Melskis ir viską paveski Dievui. Tada išeis į gerą ir kentėjimai, ir skausmai. (1928).

*

Naudokime progas daryti gera, siekti tobulumo. Tos progos niekad nesugrįš. Kitame gyvenime rasime tai, kuo dabar pripildome mūsų dienas ir valandas.

*

NAUDOTI ŠALTINIAI:

Motinos Marijos Bendri laiškai seselėms.

Motinos Marijos Asmeniniai laiškai seselėms.

Motinos Marijos Prisiminimai (1907.X.7— 1914.8.17).

Motinos Marijos Der Anfang des Institutes vom Hl. Kazimir.

Motinos Marijos Laiškai Šv. Kryžiaus Kongregacijos Seserims į Ingenbohl (vokiškai).

Šv. Kazimiero Seserų Kongregacijos leidinys: Light and Life.

Kun. Dr. J. B. Končius: Šv. Kazimiero Seserų Kongregacija (1907-1932).

Katherine Burton: Lily and Sword and Crown (1907-1957).

Dr. Antanas Kučas: Kun. Antanas Staniukynas.

Vl. Mingėla: Kun. Antanas Milukas.